Para

com votos de paz.

CB025515

Divaldo Franco
Pelo Espírito Joanna de Ângelis

Em busca da verdade
Série Psicológica Joanna de Ângelis
Vol. 15

Salvador
4. ed. – 2024

COPYRIGHT © (2009)
CENTRO ESPÍRITA CAMINHO DA REDENÇÃO
Rua Jayme Vieira Lima, 104
Pau da Lima, Salvador, BA.
CEP 412350-000
SITE: https://mansaodocaminho.com.br
EDIÇÃO: 4. ed. (5ª reimpressão) – 2024
TIRAGEM: 3.000 exemplares (milheiro: 33.000)
COORDENAÇÃO EDITORIAL
Lívia Maria C. Sousa

REVISÃO
Christiane Lourenço
CAPA
Cláudio Urpia
MONTAGEM DE CAPA
Ailton Bosco
EDITORAÇÃO ELETRÔNICA
Christiane Lourenço
COEDIÇÃO E PUBLICAÇÃO
Instituto Beneficente Boa Nova

PRODUÇÃO GRÁFICA
LIVRARIA ESPÍRITA ALVORADA EDITORA – LEAL
E-mail: editora.leal@cecr.com.br

DISTRIBUIÇÃO
INSTITUTO BENEFICENTE BOA NOVA
Av. Porto Ferreira, 1031, Parque Iracema. CEP 15809-020
Catanduva-SP.
Contatos: (17) 3531-4444 | (17) 99777-7413 (WhatsApp)
E-mail: boanova@boanova.net
Vendas on-line: https://www.livrarialeal.com.br

Dados Internacionais de Catalogação na Publicação (CIP)
(Catalogação na fonte)
BIBLIOTECA JOANNA DE ÂNGELIS

F825   FRANCO, Divaldo Pereira. (1927)

        Em busca da verdade. 4. ed. / Pelo Espírito Joanna de Ângelis
[psicografado por] Divaldo Pereira Franco. Salvador: LEAL, 2024
(Série Psicológica, volume 15).
        272 p.
        ISBN: 978-85-8266-006-5

        1. Espiritismo 2. Psicologia 3. Reflexões morais
        I. Franco, Divaldo II. Título

CDD: 133.93

Bibliotecária responsável: Maria Suely de Castro Martins – CRB-5/509

ASSOCIAÇÃO BRASILEIRA DE
DIREITOS REPROGRÁFICOS

DIREITOS RESERVADOS: todos os direitos de reprodução, cópia, comunicação ao público e exploração econômica desta obra estão reservados, única e exclusivamente, para o Centro Espírita Caminho da Redenção. Proibida a sua reprodução parcial ou total, por qualquer meio, sem expressa autorização, nos termos da Lei 9.610/98.

Impresso no Brasil | Presita en Brazilo

SUMÁRIO

Em busca da verdade	7

1 O SER HUMANO E SUA TOTALIDADE — 15

Estrutura bipolar do ser humano	18
A contínua luta entre o *ego* e o *Self*	22
A aquisição da totalidade	27

2 FRAGMENTAÇÕES MORAIS — 33

Predomínio da *sombra*	37
Despertar do *Self*	43
Integração moral	50

3 ENCONTRO E AUTOENCONTRO — 57

Um país longínquo	62
Voltar para casa	69
Amar para ser feliz	76

4 EXPERIÊNCIAS DE ILUMINAÇÃO — 83

Perder-se e achar-se	88
Sair de si-mesmo	93
Rejubilar-se	100

5 Conviver e ser	105
Cair em si	110
A coragem de prosseguir em qualquer circunstância	120
Ser-se integralmente	129
6 O ser humano em crise existencial	137
As conquistas externas	142
A grande crise existencial	149
O ser humano pleno	156
7 A possível saúde integral	163
A Parábola dos Talentos	168
A conquista do Si	177
Binômio saúde/doença	184
8 A busca do significado	193
O bem e o mal	201
Os sofrimentos no mundo	208
A individuação	217
9 Busca interior	225
Identificando o inconsciente	230
Fé e religião	237
Pensamento e ação	245
10 A vida e a morte	251
A vida harmônica	256
Equipamentos psicológicos para o ser	262
A fatalidade da morte	267

EM BUSCA DA VERDADE

... Conhecereis a verdade, e a verdade vos tornará livres.

(João, 8:32)

Plotino, *o nobre filósofo pai da doutrina neoplatônica, discípulo de Amônio Sacas, nascido em Licópolis, no Egito, elucidou com sabedoria, conforme se encontra nas* Enéadas, *volume VI:* ... o conhecimento do Uno não vem por meio da Ciência e do pensamento... mas através de uma presença imediata, superior à Ciência.

Esse conceito sábio conduz o pesquisador ao encontro da intuição, veículo sutil para fazê-lo compreender a verdade universal, a Causalidade de tudo e de todos, desde que, através dos métodos convencionais, racionais, no conceito junguiano mediante as outras funções psicológicas – sensação, sentimento e intelecto – não consegue a identificação perfeita com a Realidade.

É através do processo de maturidade psicológica que o Self *se vai libertando das camadas que lhe dificultam o conhecimento, desde que, vitimado pelo* ego *com todas as suas heranças do primitivismo, especialmente na área dos instintos, mantém-se adormecido, sem a possibilidade de libertar a essência divina de que se constitui.*

No largo processo da evolução, em algumas ocasiões esse fenômeno dá-se naturalmente, vezes outras, no entanto, é através da intuição, do insight, *que se logra o apercebimento da Unidade, da origem da vida e da sua fatalidade de retorno a ela, mantendo, no entanto, a individuação, conquistada a longos esforços.*

Em face da grandiosidade e infinitude do conhecimento, uma existência corporal é insuficiente, em tempo e em oportunidade, para abarcar-se as leis e informações que dizem respeito à grandeza da vida, sendo indispensável o mergulho na esfera carnal, inúmeras vezes, de modo que se desenvolvam os seus germes *em latência no cerne do* Self, *depositário dos sublimes recursos de que se faz herdeiro.*

Essa intuição, no entanto, é resultado da conquista do superconsciente antenado com as Fontes geradoras da vida, após a superação da sombra *e dos outros arquétipos que trabalham pela preservação dos conflitos, da lógica apenas advinda do intelecto, libertados do inconsciente coletivo e integrados no* eixo ego–Self.

A função da Psicologia Analítica é atender as necessidades profundas do ser humano, procurando despertá-lo para a sua realidade transcendental, trabalhando-lhe os valores nobres adormecidos, mediante os quais consegue identificar-se realmente com a vida, libertando-se de todas e quaisquer manifestações do sofrimento sob qual disfarce se apresente.

A busca da saúde é essencial ao ser humano, em razão do anseio pelo bem-estar que lhe amplia os horizontes do entendimento em torno dos objetivos que lhe dizem respeito e das possibilidades de tornar a existência terrestre apetecida e rica de bênçãos.

Nesse sentido, o equilíbrio mente/corpo/emoção é essencial, favorecendo-o com a harmonia defluente das aquisições diárias sobre os conflitos e diluição deles mediante a aquiescência dos sentimentos em perfeita identificação com o Self.

Em busca da verdade

A verdade a que nos referimos não tem conotação religiosa ancestral, mística ou castradora, que impede a vivência das funções orgânicas da vida humana sob justificações sofistas e propostas masoquistas.

O ser humano, na sua constituição tríplice – Espírito, perispírito e matéria –, é um conjunto eletrônico sob o comando da consciência, que é emanação *do Divino Pensamento, na qual se encontram arquivadas as* Leis de Deus, *de acordo com o seu nível de evolução, facultando que as experiências sejam realizadas e assimiladas, de forma que se transformem em conhecimento e sentimento, servindo sempre de base para realizações outras no futuro.*

Referimo-nos, desse modo, à verdade que, filosoficamente, tem um caráter universal, não dependendo de circunstâncias, nem de locais, que flui do Uno, conforme o multimilenário conceito hinduísta.

Deus, desse modo, na visão moderna do Espiritismo, desumanizado e transcendente quanto imanente, é a verdade absoluta que atrai o Espírito na sua contínua ascensão moral.

Por outro lado, a Sua representação psicológica é facilmente detectada como a plenitude, a harmonia, o estado numinoso *integral.*

Se, no entanto, esse indivíduo humano não conseguir a perfeita identificação dos elementos de que se constitui, por meio do equilíbrio fisiopsíquico, permanecerá em lutas contínuas internas e externas, do Si-mesmo *deslocado, vencido pela* sombra *que o amarfanha e que lhe retira os ideais de enobrecimento e de libertação dos atavismos infelizes.*

Intuitivamente, todos sentem que algo transpessoal existe e os arrasta na sua direção num verdadeiro Deotropismo.

O nobre Jung entregou a preciosa existência ao estudo da Realidade, utilizando-se da que se denomina objetiva para penetrar naquela que vai além dos sentidos, legando à Humanidade a inapreciável contribuição das suas reflexões, observações e práticas, num estudo de transcendência do ser, da sua constituição, da sua origem e do seu destino...

Realizando investigações científicas com Pauli, o célebre físico quântico, penetrou também a sua sonda investigadora nas doutrinas orientais, especialmente no Budismo, nas mandalas, para identificar o ser real, compreender o sempre complexo e fugidio Self...

O ser humano é um conjunto em transição contínua, em processo de aprimoramento incessante sob todos os aspectos considerados. Nessa ebulição transformadora ininterrupta, surgem complexidades umas e desaparecem outras, que vão ficando, as últimas, na sua história antropológica ancestral, e diversas como perspectivas de apreensão e de conquista que deve ser lograda.

Seguido pelo sofrimento, à medida que realiza o autodescobrimento, diminui a carga de aflição e alarga as percepções em torno da existência, podendo trabalhar para que seja cada vez menos angustiosa, concedendo-lhe mais ampla liberdade de pensamento, de movimento e de ação.

De início, a libertação do sofrimento apresenta-se como de urgência, pelas aflições que propiciam a dor, a angústia, os conflitos emocionais, as frustrações, as ansiedades e as perdas... Logo depois de lograda a compreensão do mesmo, o ego desarma-se e contribui em favor da solidariedade e da compaixão, passos que denotam a presença do amor na psique e na emoção, favorecendo o Self com a legítima compreensão da Realidade. É nesse momento que se encontra predisposto à

Em busca da verdade

intuição, aos flashs *dos* insights, *campos admiráveis extrafísicos da percepção que leva à individuação.*

Nascer, viver, morrer, nascer de novo – é a Lei, *no entanto, é essencial descortinar algo mais profundo, que é a prática da caridade como processo de salvação, de autoiluminação. Não a caridade convencional, por cuja prática espera-se a realização do negócio fraudulento entre as doações mesquinhas das coisas terrenas em comércio com as conquistas espirituais. Entenda-se* salvação *como libertação da ignorância, do mal que existe no íntimo de cada pessoa, ausência da crueldade e do mal, em vez do desgastado conceito de retribuição na espiritualidade.*

Quando o Self *identifica a necessidade de ser gentil, caridoso e afável, portador de compaixão e humanitarismo, desloca-se da função convencional para externar o* divino *que nele existe, reaproximando-o de Deus.*

É graças a esse processo lento e contínuo que o transforma no fulcro real do ser, de onde promanam as mais belas expressões de vida e de realização, insuflando ânimo e alegria de viver, mesmo quando as circunstâncias se apresentam difíceis ou assinaladas por sofrimentos que fazem parte da agenda responsável pela autoiluminação.

Todos os seres estão fadados à plenitude para a qual foram criados, atravessando os períodos diferenciados da escala evolutiva, desde as expressões primárias que imprimem conteúdos perturbadores no seu cerne, necessitando de passar pelas transformações libertadoras, que facultam à essência espiritual o seu total desabrochar.

Em razão dos milhões de anos em que se ergastula o psiquismo na matéria densa, o impositivo de desimpregnação torna-se penoso na razão direta em que desperta a consciência e a sensibilidade se norteia na direção do transcendental.

O fascículo de luz emboscado na forma grotesca vai--se desenvolvendo e logrando aptidões mediante as quais as várias formas se aprimoram, tornando-se mais complexas e mais perfeitas, em um fenômeno progressivo de fatalidade biológica no rumo da Grande Luz.

Transferindo-se de uma para outra etapa, as experiências apresentam-se carregadas das heranças ancestrais, exigindo esforço para as alterações compatíveis com o novo nível de despertamento até atingir o período soberano da razão, quando a sensibilidade e as percepções fazem-se mais aguçadas, abrindo o espaço para a compreensão do sentido da vida e a conquista legítima da Realidade.

Nessa trajetória, o binômio saúde/doença apresenta-se assinalado por muitas dificuldades de ordem fisiológica, psicológica e mental, que devem desaguar na harmonia propiciatória do equilíbrio pleno.

Graças às conquistas das ciências, especialmente aquelas que estudam a psique, existem inúmeros mecanismos e recursos que contribuem eficazmente para esse desiderato, proporcionando a existência saudável na Terra e a individuação que permanece além da esfera física...

O presente livro é mais uma tentativa de nossa parte, buscando contribuir com os estudiosos de si mesmos, interessados na libertação real das aflições e não somente na solução dos sintomas, de modo que possam fruir de bem-estar durante

Em busca da verdade

a vilegiatura carnal, entendendo as suas causas, ao mesmo tempo encontrando os recursos especializados para impedir--lhes o surgimento dos efeitos, e, quando estes ocorrerem, diluí-los de maneira sábia, resultando em alegria de viver, de pensar e de agir.

Utilizamo-nos, mais de uma vez, da excelência terapêutica de algumas das excepcionais parábolas de Jesus, em cujo bojo se encontram as lições psicoterapêuticas valiosas para a conquista do Si-mesmo, *para a integração do* ego–Self.

De grande atualidade, produzem um efeito saudável em todo aquele que as lê com seriedade e interesse, procurando entendê-las no seu significado legítimo, arrancando da letra que mata o espírito que vivifica.

Ao mesmo tempo, apoiando-nos nos incomparáveis ensinamentos propiciados pelos Mentores da Humanidade a Allan Kardec, que deram surgimento ao Espiritismo, buscamos fazer uma ponte de perfeita identificação com a Psicologia Analítica, apresentada pelo admirável psiquiatra suíço Carl Gustav Jung.

Confiamos que a nossa tentativa de servir encontre ressonância nos estudiosos da psique humana e contribua de alguma forma para tornar a existência terrestre mais saudável, ensejando, por antecipação, as alegrias que estão reservadas a todo aquele que for fiel ao bem até o fim, como preconizou Jesus.

Salvador, 20 de fevereiro de 2009.
JOANNA DE ÂNGELIS

1

O SER HUMANO E SUA TOTALIDADE

ESTRUTURA BIPOLAR DO SER HUMANO • A CONTÍNUA LUTA
ENTRE O *EGO* E O *SELF* • A AQUISIÇÃO DA TOTALIDADE

O ser humano é organizado por complexos elementos que transcendem a uma análise superficial, exigindo seguro aprofundamento nos seus elementos constitutivos.

De origem divina, em sua essência, desenvolveu a inteligência e o sentimento através do extraordinário périplo antropossociopsicológico.

Criado *simples e ignorante*, na condição de *princípio inteligente*, desenvolveu-se ao longo das centenas de milhões de anos, atravessando as diversas fases da cristalização, da sensibilidade vegetal, da percepção instintiva animal até alcançar a consciência e a inteligência humanas, estagiando, momentaneamente, na experiência *virtual*, que lhe estava predeterminada, e que seguirá logrando conquistas mais grandiosas.

Do silêncio profundo, nos estágios primários, aos sons grotescos das diversas espécies animais, conseguiu expressivo passo ao lograr a verbalização do pensamento, potencializando-se com a amplitude do conhecimento de que dispõe para expressar a beleza, as formas e a vida em todas as suas manifestações.

Nesse período, desenvolveu as artes, a cultura, o pensamento filosófico, conduzindo a criatividade para descobrir os segredos ocultos em a Natureza, ensaiando os passos com audácia no empirismo, logo depois no conhecimento dos princípios racionais através das experiências em momentosas pesquisas, ensaiando os gloriosos passos na direção da Ciência.

Graças a essas conquistas, alterou as paisagens terrenas, modificando as estruturas de algumas partes do planeta, tomando conhecimento dos fenômenos sísmicos e ambientais, atmosféricos e marítimos, podendo prever as ocorrências calamitosas, impossibilitado ainda de as impedir...

Grandes níveis de aquisições foram alcançados no combate às enfermidades, especialmente aquelas de natureza pandêmica, tropicais, infectocontagiosas, algumas degenerativas, aos transtornos comportamentais e psíquicos, melhorando a longevidade do ser humano com favoráveis condições de vida.

Conseguiu penetrar nos quase insondáveis *mistérios* do macro e do microcosmo, solucionando graves questões que pairavam ameaçadoras sobre a existência humana.

Embelezou o planeta através de edificações colossais, drenando pântanos, criando jardins e pomares em terras desérticas, construindo lares e santuários confortáveis, assim

Em busca da verdade

como hospitais, escolas e oficinas de trabalho com excelentes condições de dignidade para os seus funcionários.

Graças à Tecnologia, que também descobriu e aprimorou, produziu veículos que transitam em altas velocidades, cortando estradas terrestres e espaciais, oceânicas e submarinas, favorecendo a comunicação por intermédio de instrumentos de alta e eficiente precisão, que favorecem o conforto e dão alegria, proporcionando espetáculos de arte e de ciência ao alcance de milhões de indivíduos.

Do homem primitivo ao moderno, há um tremendo pego assinalado por incontáveis realizações e sacrifícios que mais o dignificam, impulsionando-o ao avanço contínuo na direção do infinito.

Em face da sua *natureza fragmentada*, a agressividade ainda não pode ser controlada, mesmo depois dos valiosos recursos da educação e da instrução, do conhecimento e da lógica, da identificação de todos os recursos que tornam a vida feliz e aprazível, ou a desqualificam na ordem da evolução.

Tem havido predominância dos instintos em detrimento da razão, do egoísmo em relação ao altruísmo, da natureza animal em face da natureza espiritual.

A fixação no corpo e nas suas reais como falsas necessidades, nele desenvolveu ambições desmedidas, a princípio como básicas para a conservação da vida, mais tarde, porém, como recurso de poder para gozar, dando vazão à inferioridade moral não superada, que o atrela às paixões primitivas.

Apesar de todos os embates filosóficos, sociológicos, éticos e morais, não conseguiu um desenvolvimento idêntico nessa área conforme os logrou no comportamento externo.

Isto ocorreu, porque a evolução exterior é mais fácil de ser adquirida, em relação à de natureza interior, que impõe vigilância e sacrifícios especiais na área dos sentimentos e da razão.

Embora, na atualidade, jactando-se de ser civilizado e educado, não tem conseguido evitar as guerras que promove, utilizando-se dos notáveis descobrimentos que canaliza para o crime e a destruição, vitimado pela mesquinhez e pelos conflitos internos que o esmagam dolorosamente.

Ao lado desse tremendo infortúnio, multiplicam-se as calamidades que não tem sabido administrar, tornando o seu *habitat* campo de batalha, cárcere de desaires, reduto de temor e de insegurança, que produzem estertor e agonia.

Inseguro na sua trajetória, vem destruindo as fontes de recursos naturais, ameaçando a Natureza e todos os seus elementos, que se encarregarão de torná-lo mais sofrido, caso não modere a utilização dos esgotáveis recursos que se encontram à sua disposição.

Essas nefastas ocorrências, porém, são filhas da sua fragmentação interior, das heranças ancestrais, das suas *más inclinações*.

Estrutura bipolar do ser humano

O objetivo essencial da existência humana, do ponto de vista psicológico, na visão junguiana, é facultar ao indivíduo a aquisição da sua totalidade, o estado *numinoso*, que lhe faculta o perfeito equilíbrio dos polos opostos.

Jung havia estabelecido que o ser humano é possuidor de uma estrutura bipolar, agindo entre esses dois diferentes estados da sua constituição psicológica, qual ocorre com os arquétipos *anima* e *animus*.

Toda vez que lhe ocorre uma aspiração, o polo oposto insurge-se, levando-o ao outro lado da questão.

Qualquer comportamento de natureza unilateral logo desencadeia uma reação interna, inconsciente, em total oposição àquele interesse.

Quando o indivíduo se exalta em qualquer forma de personalismo, está mascarando a outra natureza que também lhe é inerente.

Se se atribui virtudes e valores relevantes, eles são defluentes de fantasias internas do que gostaria de ser, sem que o haja conseguido.

Um Eu opõe-se ao outro Eu em intérmina luta interior. Um é consciente, vigilante; o outro é inconsciente, adormecido, que desperta acionado pelo seu oposto. Um se encontra na razão; o outro, no sentimento ou vice-versa. A não vigilância e não saudável administração desse opositor se apresenta como desvario, que impede o raciocínio lúcido, a presença da razão.

Esse ser duplo é constituído, ora como resultado do conhecimento adquirido, de experiência vivenciada, enquanto o outro é de total desconhecimento, permanecendo oculto sempre à espreita.

O nobre Jung utiliza-se de imagem carregada de lógica moderna, quando esclarece: – *O ser humano vive como alguém cuja mão não sabe o que a outra faz*, o que induz à recordação do pensamento de Jesus, quando se refere à excelsa ação da caridade: *Dai com a mão direita, sem que a esquerda o saiba.*

Conhecia Jesus as duas polaridades psicológicas do ser humano e, por isso, incitava-o a amar tão profundamente, que o seu gesto de afeição sublime e consciente estivesse em plena concordância com os seus arquivos inconscientes.

Aquele que não consegue harmonizar os dois polos em uma totalidade, invariavelmente faz-se vítima das expressões desorganizadas do sentimento, induzindo-o às emoções fortes, descontroladas.

Stevenson, o inspirado poeta inglês, bem traduziu esses dois polos na sua obra genial *O médico e o monstro*, quando o Dr. Jekyll era vítima do Sr. Hyde, que coabitava com ele no seu mundo interior, expressando toda a inferioridade que o médico buscava superar no seu ministério sacerdotal.

Na tradição religiosa, expressam-se como o bem e o mal, ou o anjo e o demônio, continuando na feição sociológica em conceituação do certo e do errado, da treva e da luz, do belo e do feio.

Essa dicotomia psicológica permanece no ser humano em desenvolvimento emocional e espiritual.

O esforço terapêutico a desenvolver, deve ser todo voltado para a integração do outro polo, o oposto, naquele que está consciente e é relevante, produtivo, saudável, caminho seguro para a completude.

Em busca da verdade

O esforço consciente do indivíduo para autopenetrar-se, autoconhecer-se, como resultado das tensões dos polos ativados pelo interesse da integração, induz o indivíduo a um comportamento gentil, afável, compreensível das dificuldades e limitações do seu próximo.

Enquanto, porém, permanece essa dissociação, essa fragmentação, esse desconhecimento da consciência, invariavelmente se tomba na cisão da personalidade, da qual irrompem os transtornos neuróticos que atormentam, aumentando a distância entre os atos conscientes e os inconscientes.

Jung sugere os símbolos como representações dos conflitos que se estabelecem nas oposições dos mesmos, encarregados de os unir e formar apenas uma realidade, como se observa na cruz, cujos braços têm o seu ponto de segurança no centro em que se encontra a haste vertical com a horizontal, representando a segurança, a unidade daqueles contrários...

Nesse sentido, o emérito mestre suíço recorre ao comportamento do cristão, na sua rendição à Divindade, sem esfacelar-se nela, mas tornando-se um eleito, capaz de conduzir o próprio fardo, a própria cruz.

Pessoas inexperientes, quando se dão conta dos opostos no seu mundo interior, afligem-se desnecessariamente, formulando conceitos indevidos e punitivos, como se as manifestações do inconsciente signifiquem inferioridade, promiscuidade, dando origem a culpas injustificáveis pelo fato de existirem.

Supõem, precipitadamente, que podem forçar a mudança, tornando-se puras, embora os conflitos, culminando em descobrimentos dolorosos de existências vazias.

Esses conflitos não devem ser combatidos como inimigos num campo de batalha, mas atendidos, orientados, esclarecidos, libertando-se deles pela sua conscientização, de forma que a autoconsciência experimente bem-estar pela conquista realizada interiormente.

É comum a ocorrência de pensamentos infelizes no momento da oração, da meditação, o que não é habitual noutras ocasiões, gerando inquietação e mal-estar.

Ocorre que, estando arquivados no inconsciente, quando esse é ativado pelo polo edificante, logo o outro descerra a sua cortina e libera o *adversário*.

A atitude a tomar com tranquilidade consiste em permanecer não reativo, insistindo no propósito ora em vivência até a unificação dos oponentes.

A fragmentação leva ao desfalecimento, à perda do entusiasmo.

Um Eu em luta contra o outro Eu deteriora o sentimento ou aturde a razão.

A CONTÍNUA LUTA ENTRE O *EGO* E O *SELF*

Invariavelmente, o indivíduo busca superar esse Eu opositor frequente, adotando comportamento castrador, por intermédio do esforço consciente para suprimi-lo, o que redunda em grande fracasso porque o polo que

Em busca da verdade

orienta o outro Eu permanece vivo, embora disfarçado pela aparência que se adquire.

Não são poucos os indivíduos que se refugiam em ideais, especialmente nas doutrinas religiosas, como evasão da realidade, adotando comportamentos nobres, no entanto, mascaradores dos seus conflitos, como, por exemplo, quando na adoção de condutas violadoras das funções orgânicas, especialmente as genésicas, liberando, embora inconscientemente, a sexualidade, nos abraços e beijos *fraternais*...

A *sombra* existente no ser humano não deve ser combatida, senão diluída pela integração na sua realidade existencial.

Ela desempenha, portanto, um papel fundamental no equilíbrio entre o *ego* e o *Self*, no que resulta a unificação também dos polos quando se consegue a sua diluição.

A cisão existente, defluente da fragmentação psicológica, deve avançar para a integração, a unidade.

O *ego*, no conceito freudiano, conforme bem o define o dicionário Aurélio, é : *A parte mais superficial do* id, *a qual, modificada por influência direta do mundo exterior, por meio dos sentidos, e, em consequência, tornada consciente, tem por funções a comprovação da realidade e a aceitação, mediante seleção e controle, de parte dos desejos e exigências procedentes dos impulsos que emanam do* id.

Nele se encontram, portanto, os impositivos dos instintos que se derivam do princípio do prazer e pela compulsão ao desejo.

São esses impulsos o resultado dos instintos procedentes das faixas primárias da evolução, que se destacam em oposição quase dominante contra a razão, a consciência de solidariedade, de fraternidade, de tolerância e de amor.

Dominador, o *ego* mascara-se no personalismo, em que se refugiam as heranças grosseiras, que levam o indivíduo à prepotência, à dominação dos outros, em face da dificuldade de fazê-lo em relação a si mesmo, isto é, libertar-se da situação deplorável em que se encontra.

A luta interna dos dois polos faz-se cruel, embora o *ego* aparente ignorá-la, mantendo uma superficial consciência do valor que se atribui, do poder que exterioriza, da condição com que se apresenta.

Sendo o *Self* o arquétipo básico da vida consciente, *o princípio inteligente*, ele é o somatório de todas as experiências evolutivas, sempre avançando na direção do estado *numinoso*.

Nessa dissociação dos polos, muitas vezes pode parecer que o indivíduo, a grande esforço, conseguiu a integração, até o momento em que se surpreende com o terror da cisão inesperada que o leva a um transtorno profundo, especialmente se viveu em razão de um ideal que asfixiou o conflito, mas não o solucionou, despertando com sensação de inutilidade, de vazio existencial.

Sucede que o *ego* exige destaque, compensação, aplauso, embora nos conflitos entre razão e instinto, originando-se nele um tipo de *sede de água do mar*, que não é saciada por motivo óbvio.

Mesmo encontrando compensações de prazer, do impulso instintivo que leva à compulsão do desejo, a insatisfação defluente da ansiedade do poder empurra a sua

Em busca da verdade

vítima ao transtorno depressivo, porque a sua ânsia de dominação termina por esvaziá-lo interiormente.

O mesmo ocorre na vida monástica, no período em que diminuem o entusiasmo e o egotismo no postulante ou no religioso, quando então é acometido pela melancolia que se agrava em afligente depressão, falsamente interpretada como interferência demoníaca, pelo fanatismo que ainda vige em muitos setores da fé espiritualista.

Com alguma razão, Alfredo Adler referia que o instinto de dominação no indivíduo, quando não encontra compensação ou não se sente reconhecido e aceito, foge, oculta-se na depressão, na qual expressa a agressividade e a violência.

Nesse sentido, o paciente não tem problema, pois que o estado em que se encontra de alguma forma faz-lhe bem, tornando-se um problema para o grupamento social saudável, que busca manipular, dominando-o, tornando-se fator de preocupação para os outros.

Conscientizar a *sombra*, diluindo-a, mediante a sua assimilação, em vez de ignorá-la, constitui passo avançado para a perfeita identificação entre *ego* e *Self*.

Jung percebeu com clareza esses dois *Eus* no indivíduo, que se podem explicar como resultantes do *Self*, aquele que é bom e gentil, e do *ego* que preserva o lado feroz, vulgar, licencioso, negativo.

Poder-se-ia dizer que o indivíduo possuiria duas *almas* em contínuo antagonismo no finito de si mesmo.

Essas expressões apresentam-se na conduta humana, quando em público, aparenta-se uma forma de ser e, quando, no lar, na família ou a sós, outra bem diferente. O que representa gentileza transforma-se em mal-estar, aze-dume e aspereza.

Aceitar-se com naturalidade esses opostos é recurso salutar, terapêutico, para melhor contribuir-se em favor da harmonia entre os outros litigantes, que são o *ego* e o *Self.*

No comportamento social não é necessário masca-rar-se de qualidades que não se possuem, embora não se devam expor as aflições internas, os tormentos do polo negativo.

Assumir-se a realidade do que se é, administrando, pela educação – fonte geradora dos valores edificantes e enobrecedores –, os impulsos do desejo e do prazer, trans-formando-os em emoções de bem-estar e alegria, saindo da área das sensações dominantes, constitui maneira efi-ciente para diminuir a luta existente entre os dois arquéti-pos básicos da vida humana.

Uma religião racional como o Espiritismo, destituí-da de fórmulas que ocultam o seu conteúdo, que é otimis-ta e não castradora, que convida o indivíduo a assumir as suas dificuldades, trabalhando-as com naturalidade, sem a preocupação de parecer o que ainda não consegue, es-truturada na realidade do ser imortal, com as suas glórias e limitações, é valioso recurso terapêutico para a união de todos os opostos, que passarão a fundir-se, dando lugar a um Eu liberado dos conflitos, que se pode unir à Divinda-de, sem os artifícios que agradam os indivíduos ligeiros e seus supérfluos comportamentos existenciais.

A luta, portanto, existente entre o *ego* e o *Self* é sau-dável, por significar atividade contínua no processo de crescimento, e não postura estática, amorfa, que representa uma quase morte psicológica do ser existencial.

Humanizar-se, do ponto de vista psicológico, é integrar-se.

Jesus Cristo foi peremptório, demonstrando a Sua perfeita integração com o Pai, quando enunciou: – *Eu e o Pai somos um,* dando lugar à perfeita identificação entre ambos, aos comportamentos nobres, às propostas libertadoras sem polos de oposição.

Mais tarde, o apóstolo Paulo, superando as lutas entre o *ego* dominante e o *Self* altruísta, universal, proclamou: – *Já não sou eu quem vive, mas o Cristo que vive em mim.*

A *sombra,* que nunca teve existência em Jesus, por ser ele a *Luz do mundo,* e a que existia em Saulo, Paulo, por fim, iluminou-se, diluindo-se no amor.

A AQUISIÇÃO DA TOTALIDADE

Quando se conquista uma floresta densa, o primeiro movimento é o de abrir-se clareiras na sua escuridão e densidade, a fim de que entre a luz e haja espaço para a edificação do que se transformará em posto avançado de serviço e de repouso.

O inconsciente é uma floresta densa, *a parte submersa de um iceberg,* flutuando sobre as águas tumultuadas da existência física.

A grande maioria dos atos e comportamentos humanos, na sua expressão mais volumosa, procede do inconsciente, sem a interferência da consciência lúcida.

No *inconsciente coletivo,* encontram-se arquivados toda a história da Humanidade, os diferentes períodos vivenciados, abrindo pequeno espaço ao *inconsciente individual,* encarregado dos registros atuais, desde a concepção até a atualidade.

Há profunda sensatez e veracidade na informação, considerando-se que o *Self* se estruturou ao longo das sucessivas reencarnações, por onde esse *princípio inteligente* desdobrou os conteúdos adormecidos em germe, seu *Deus interno,* até o momento da consciência.

As impressões que dizem respeito às memórias coletivas nesse grandioso inconsciente têm procedência, porque se referem às vivências individuais ou às informações transmitidas pelos contemporâneos ou ascendentes que as viveram.

Para que haja uma real integração desses arquétipos predominantes em o ser humano, torna-se indispensável o *amor a si mesmo,* conforme a recomendação do sublime Psicoterapeuta Jesus Cristo.

Ele sabia da existência da *sombra* individual e coletiva, que aturdia o ser humano.

Na Sua proposta psicoterapêutica através do amor, Ele destacou aquele de natureza pessoal, a si mesmo, em razão dos escamoteamentos, quando se procura *amar ao próximo,* impossibilitado daquele que é devido a si mesmo, ao *Self.*

Essa é uma artimanha da *sombra,* disfarçando o transtorno da indiferença ou animosidade contra o próprio ser, dos conflitos perturbadores no íntimo, em fuga

Em busca da verdade

espetacular para a valorização do outro com desprezo pelos seus sentimentos, suas conquistas e seus prejuízos.

Quando o indivíduo não se ama, certamente apaixona-se, deslumbra-se, admira o outro a quem diz amar, até a convivência demonstrar que se tratou apenas de uma explosão sentimental sem profundidade nem significado.

Não são poucos aqueles que afirmam amar, para logo apresentar-se decepcionados por haverem constatado que o outro lhes é semelhante, portador também dos polos opostos, atrelado a dificuldades e limites, que o dito afetuoso gostaria que ele não tivesse, esperando compensações pelas próprias *fraquezas*.

O amor a si mesmo deve centralizar-se no autor-respeito e na autoconsideração que cada um se merece, identificando a sua *sombra*, que é familiar aos demais, aceitando-a e diluindo-a na mirífica luz da amizade e da compreensão.

Não se trata de ficar contra as imperfeições – a *sombra* interior –, mas de identificá-la, para mais reforçá-la, o que equivale a dizer conscientizar-se da sua existência e considerá-la parte da sua vida.

Lutar contra a *sombra* representa proceder a um desgaste inútil de energia. Quando é identificada, a energia retorna à psique, e, à medida que a ela é integrada, mais vigor se apresenta no ser consciente.

É necessário, portanto, uma atitude ativa e não passiva, porque essa passividade, essa anuência com a ignorância, nada fazendo para modificar-lhe a estrutura, alterando-a e dissolvendo-a, fomenta a violência de todo porte, que deságua entre os poderosos terrestres em guerras hediondas, espraiando a *sombra coletiva* da arbitrariedade e da prepotência.

O bem e o mal têm a mesma origem na psique humana, resultando de experiências ancestrais que foram vividas pelo *Self*. Da mesma forma, a *sombra*, os antagonismos podem e devem ser enfrentados através de diálogos com os opostos, que elucidam a sua finalidade e os seus gravames.

Nos relacionamentos entre amigos e parceiros, sempre ocorre a fragmentação, na qual a duração dessa convivência é de curto prazo, mesmo quando se inicia com entusiasmo e ardor. De um para outro momento alguém nota que a sua *voz interior* não apenas critica-o, lamentando a conivência, informando da sua indignidade ou inferioridade em relação ao outro, como também pelo surgimento de uma agressão ferina, de apontamentos desagradáveis sobre o amigo ou parceiro...

Tal ocorrência produz o comportamento exterior sem correspondente íntimo, dando lugar ao cansaço ou à indiferença, ou a uma forma de saturação emocional, destituindo o prazer que antes era haurido naquele convívio.

Ninguém deve ignorar a *voz interior*, especialmente quando crítica ou mordaz, responsável por comentários depreciativos da própria pessoa ou de referência a outrem.

Torna-se necessário o seu enfrentamento lúcido e natural, diluindo a tensão que se estabelece entre o consciente e o inconsciente.

Normalmente, diante de uma bela *performance* exterior, irrompe interna *a voz* que censura, que abomina, que recalcitra em relação àquele desempenho.

Em busca da verdade

Essa tormentosa *sombra* imanente na psique faz parte do *ego* à espera da valiosa contribuição do *Self* libertador.

Considere-se a existência da *sombra* como uma questão moral, não a ocultando através de sacrifícios, de sevícias e de autoflagelações para vencer o que se denominou como as *tentações*, porque tais comportamentos são pertinentes a ela mesma que, submetida por algum tempo, um dia irrompe em forma de desencanto ou de vulgaridade a que se entregam aqueles que, longamente, impediram-na de manifestar-se, acreditando falsamente na vitória sobre ela.

Devorar a *sombra* com integração lúcida na psique é também uma forma de diluí-la, incorporando-a ao conjunto, trabalhando pela unidade.

Qualquer tipo de violência ou obstinação contrária, mais a reforça, enquanto que toda expressão de amor e de humildade em relação a ela, libera-a.

Reconhecer-se imperfeito, como realmente se é, portador de ulcerações e de cicatrizes morais, é um ato de humildade real, que se deve manter com dignidade, enquanto que, divulgá-los, demonstrando simplicidade, é maneira de permanecer-se no estágio de dominação pela *sombra* que somente mudou de expressão e de comportamento.

Nada mais desagradável e mórbido do que a falsa humildade, aquela que exclui o indivíduo dos valores éticos elevados, que o subestima, expressando, disfarçadamente, presunção, diferenciação das demais pessoas.

Jesus, que é inabordável psicologicamente, porque paira acima de todas as criaturas, como biótipo especial, jamais se subestimou ou adotou epítetos depreciativos para demonstrar humildade. Pelo contrário, sempre referiu-se como o *Enviado*, o *Messias*, o *Filho de Deus*, a *Luz do mundo*, o *Pão da vida* etc., demonstrando a Sua autoconsciência.

Entre a humildade e o exibicionismo permanece uma grande diferença.

Muita aparência humilde torna-se ostentação disfarçada, portanto, presença da *sombra* dominadora na conduta psicológica.

Em qualquer movimento religioso, que busca a superação dos conflitos, vale a pena considerar-se que convivem no mesmo indivíduo o *anjo* e o *demônio*, que necessitam harmonizar-se, descendo um na direção do outro que ascende no rumo do primeiro.

Quando se reconhece essa dualidade presente na psique, que é representativa do ser humano, uma das suas características, portanto, torna-se fácil a terapia equilibradora, unindo-a em um ser lúcido psiquicamente e generoso emocionalmente.

A integração é necessidade de vivenciar-se um labor consciente, de amadurecimento psicológico, de conquista emocional e espiritual.

2
FRAGMENTAÇÕES MORAIS

PREDOMÍNIO DA *SOMBRA* • DESPERTAR DO *SELF* •
INTEGRAÇÃO MORAL

Na condição de Psicoterapeuta excepcional, Jesus utilizou-se dos símbolos, nobres arquétipos da época, a fim de imortalizar as Suas propostas de saúde e de bem-estar.

Trazendo as *Boas-novas de alegria*, para uma época atormentada, assinalada por criaturas aturdidas na ignorância, todo o Seu ministério revestiu-se de propostas libertadoras do primitivismo, de respeito pela vida e em favor da harmonia dos sentimentos, em incomparável diretriz de identificação entre o *ego* e o *Self*.

Compreendendo os tormentosos conflitos dos indivíduos e das massas que constituíam, do inconsciente individual e coletivo referto de heranças ancestrais primitivas, perturbadoras, sem vislumbres próximos de um superconsciente rico de harmonia, sabia que a única e mais eficaz maneira de proporcionar a libertação dos pacientes algemados ao egoísmo e ao imediatismo, somente seria possível por intermédio do autoconhecimento.

Em face da cultura religiosa fanática e atrasada – a *sombra* dominadora – bem como da ausência dos conhecimentos sobre a vida, somente facultados na intimidade dos santuários esotéricos, onde poucos iniciados tinham a oportunidade de conhecê-la, identificando a estrutura complexa do ser e as suas afortunadas possibilidades amortecidas pela matéria, Ele propôs a ruptura do obscurantismo com as claridades da razão, utilizando-se de imperecíveis símbolos que passaram à posteridade e prosseguem perfeitamente atuais.

Narrando parábolas, facultava o acesso ao ignorado *Self* e despertava-o de maneira hábil, embora simples, para que dominasse o *ego*, nada obstante as injunções perversas do Seu tempo.

Vivendo para todas as épocas atemporais, legou para as gerações do futuro os memoráveis ensinos, superando as linguagens dos antigos mitos, por serem psicoterapêuticos, embora o objetivo aparentemente moral, social e religioso que ocultavam.

Por isso, foi enfático ao afirmar a respeito dos Seus ensinamentos que *a letra mata, mas o espírito vivifica*, produzindo a perfeita vinculação do eixo *ego – Si mesmo*, expressando que, além da forma tosca sempre havia o conteúdo saudável e vivo para o processo da cura real de todas as enfermidades.

Dentre as reveladoras contribuições psicológicas, desse gênero, para a posteridade, narrou a Parábola do Filho

Pródigo, conforme as admiráveis anotações de Lucas, no capítulo 15 do seu Evangelho, versículos 11 a 32.

Em síntese, trata-se de uma história que bem expressa a fragmentação da psique em torno dos arquétipos dos valores morais no ser humano, nesse embate sem quartel entre o *ego* imediatista e dominador e o *Self* harmônico e totalizante.

Um homem tinha dois filhos – narrou Jesus. – *Disse o mais moço a seu pai: – Meu pai, dá-me a parte dos bens que me toca. Ele repartiu os seus haveres entre ambos. Poucos dias depois o filho mais moço, ajuntando tudo o que era seu, partiu para um país longínquo, e lá dissipou todos os seus bens, vivendo dissolutamente. Depois de ter consumido tudo, sobreveio àquele país uma grande fome e ele começou a passar necessidades. Foi encontrar-se com um dos cidadãos daquele país e este o mandou para os seus campos guardar porcos. Ali desejava ele fartar-se das alfarrobas que os porcos comiam, mas ninguém lh'as dava. Caindo, porém, em si, disse: Quantos jornaleiros de meu pai têm pão com fartura, e eu aqui estou morrendo de fome! Levantar-me-ei, irei a meu pai e dir-lhe-ei: – Pai, pequei contra o céu e diante de ti. Já não sou digno de ser chamado teu filho; trata-me como um dos teus jornaleiros. Levantando-se, foi para seu pai. Estando ele ainda longe, seu pai viu-o e teve compaixão dele, e, correndo, o abraçou, e o beijou. Disse-lhe o filho: – Pai, pequei contra o céu e diante de ti. Já não sou digno de ser chamado teu filho. O pai, porém, disse aos seus servos: – Trazei-me depressa a melhor roupa e vesti-lh'a, e ponde-lhe um anel no dedo e sandálias nos pés; trazei também o novilho cevado, matai-o, comamos e regozijemo-nos, porque este meu filho era morto e reviveu, estava perdido e se achou. E começaram a regozijar--se. Seu filho mais velho estava no campo. Quando voltou e foi chegando a casa, ouviu a música e a dança, e chamando um dos criados, perguntou-lhe o que era aquilo. Este lhe respondeu: — Chegou teu irmão, e teu pai mandou matar o novilho cevado, porque o recuperou com saúde. Ele se indignou e não queria entrar; e saindo seu pai, procurava concilía-lo. Mas ele respondeu a seu pai: — Há tantos anos que te sirvo, sem jamais transgredir uma ordem tua, e nunca me deste um cabrito para eu me regozijar com os meus amigos, mas quando veio este teu filho, que gastou os teus bens com meretrizes, tu mandaste matar para ele o novilho cevado. Replicou-lhe o pai: — Filho, tu sempre estás comigo, e tudo o que é meu é teu; entretanto, cumpria regozijarmo-nos e alegrarmo-nos, porque este teu irmão era morto e reviveu, estava perdido e se achou.* (Tradução segundo o original grego pelas Sociedades Bíblicas Unidas. Rio de Janeiro, Londres, Nova Iorque).

Os arquétipos do bem e do mal, da *sombra* densa e suave, do *ego* e do *Self* conflitam-se, nessa narrativa, enfrentando-se, lutando com ferocidade, e todo um arsenal de transtornos psicológicos aparece, tais a promiscuidade de conduta, a perversão, a fuga, o ressentimento, a ira e o desencanto, assinalando o comportamento dos dois irmãos, enquanto o pai generoso exterioriza a saúde pelo entendimento e pelo amor às defecções morais e ignorância dos filhos, utilizando-se da compaixão e do perdão, mas também da gratidão e do afeto.

O pai indu-los ao encontro com o *arquétipo primordial,* produzindo um reencontro terapêutico entre os dois

Em busca da verdade

irmãos, única forma de possibilitar o entendimento entre ambos, a fraternidade plena, a saúde geral.

PREDOMÍNIO DA *SOMBRA*

A presença da *sombra* no comportamento humano faculta a fragmentação da psique, nos dois *Eus*, levando o paciente à perda de identificação entre os arquétipos do bem e do mal, do certo e do errado.

Herdeiro dos instintos agressivos, que lhe predominam em a natureza íntima, o ser humano jornadeia entre revoltado e temeroso por efeito das condutas ancestrais.

A necessidade da preservação da vida impele-o ao imediatismo, à volúpia do prazer, ao significativo desconhecimento dos valores ético-morais, ou mesmo quando os conheça, desconsiderando aqueles que podem representar sacrifício, luta nobre, abnegação...

Propelido para esse prazer sensorial, asselvajado, as emoções elevadas defluentes dos sentimentos da beleza, do idealismo são deixadas à margem pela pouca significação que lhes é atribuída ou pela falta do hábito de as vivenciar.

Os sonhos, por exemplo, nessa fase, são tumultuados e os símbolos de que se revestem expressam os atavismos perturbadores e os tormentos sexuais, que se transformam em condutas psicológicas doentias e/ou que somatizam em disfunções orgânicas de vária denominação.

Na parábola de Jesus, o *ego* do jovem filho é perverso e ingrato.

Ao solicitar a herança que diz pertencer-lhe, inconscientemente deseja a morte do pai, que seria o fenômeno legal para conseguir a posse dos bens sem qualquer problema. Mascara o conflito sob a justificativa inapropriada de querer desfrutar a juventude, em considerando que mesmo na idade provecta, o genitor não morria...

Logo depois, viajando para um *país longínquo* procura arrancar as raízes existenciais, as marcas, destruir a origem desagradável, permanecendo na ignorância de si mesmo, fugindo para o *Éden* onde parecia feliz.

Todo conflito carrega uma carga psicológica de alta tensão nervosa devastadora.

O Eu filial que percebe a necessidade de ficar no lar – aqui representado como o domicílio carnal, o *Paraíso* – cede espaço emocional ao outro Eu, o da fragmentação da psique, a *sombra*, estroina e *longínqua,* dos sentimentos enobrecedores ainda adormecidos no *Self.*

Deixando-se exaurir pelas ambições e prazeres, o leviano é surpreendido, posteriormente, pela solidão – a miséria econômica, a fuga dos comparsas que o exploraram, portanto, os excessos que agora o deixam desgastado – logo associada à culpa que o exproba, impondo-lhe reflexão, por consequência, o retorno à segurança do lar que abandonou...

Sempre se fará imperioso o retorno às origens, a fim de realizar-se o autoencontro.

Dominado, porém, pelo instinto de autodestruição, torna-se uma pocilga moral, a um passo da *degradação* máxima, do suicídio, quando tem um *insight* e reflexiona em torno da generosidade do pai, o *Self,* portanto, em

Em busca da verdade

despertamento, e resolve pelo retorno, o que lhe constitui o passo inicial para a autorrecuperação, a autoconscientização, para uma possível integração das duas partes da fissura tormentosa da mente.

Essa fuga para um país *estrangeiro e longínquo* seria uma arquetípica busca do princípio da individuação, caso se originasse de algum ideal, como diminuir a carga do pai, em vez de desejar-lhe, mesmo que de maneira inconsciente, a morte.

Há, nesse conflito, o mundo do pai, o mundo do filho, o mundo do irmão, em forma de *sombras* perturbadoras, efeito da fissura da psique em relação ao *ego*.

Jesus deixa transparecer na expressiva parábola o caráter terapêutico, quando o filho volta em busca da paz (e da saúde), embora humilhado, mas certo de ser recebido.

O *Self* que se unifica em relação ao *ego* é o caminho seguro para a autocura, para o estado *numinoso* de tranquilidade e bem-estar.

A viagem para longe é uma busca arquetípica de heroísmo, de conquista do desconhecido, de infinito, que não se concretiza porque o objetivo consciente era o prazer, a não responsabilidade, a violência do abandono ao pai idoso, a exuberância do egotismo e o desprezo pelo irmão mais velho que trabalha.

A viagem de volta ao lar que faz o filho mais jovem não é por amor ao pai, nem por qualquer sentimento nobre, mas porque passa fome e tem a garantia de que, no lar, terá muito mais conforto e abundância alimentar, qual ocorre com os empregados da fazenda... A sua *sombra* interesseira deflui do *ego* atormentado que não conseguiu a união com o *Self.*

Por sua vez, a *sombra* cruel no irmão que ficou, dele faz um miserável que inveja a sorte do jovem despudorado, que tem ciúme da atenção que o pai lhe concede, que se revolta, dominado pelo conflito de inferioridade e pelas torturas no psiquismo.

Sente-se rejeitado, embora haja sido devotado, possivelmente por interesse de ficar com toda a herança, em vez de contentar-se em estar com o pai, porquanto se queixa que nunca recebeu um *cabrito para festejar com os seus amigos.*

Uma projeção inconsciente da raiva guardada pelo abandono do irmão que fugiu manifesta-se como desforço, não querendo participar da festa de boas-vindas.

O *ego* deve estruturar-se para adquirir consciência da sua realidade, não conflitando com o *Self* que o direciona, única maneira de libertar a *sombra.*

Na parábola, que é um arquétipo coletivo representando os interesses imediatos em detrimento dos valores que libertam das paixões primárias, ante o egoísmo do filho jovem, o pai generoso não reclama, não deixa transparecer mágoa, embora sofrendo.

É desse modo que as criaturas fogem do abrigo seguro da psique integrada, que cede lugar ao *ego* daninho, da fragmentação, postergando a oportunidade de serem felizes.

A experiência, porém, no *país longínquo* – desejo inconsciente de não ser encontrado, nem sequer saber-se onde reside o fugitivo – redunda em desastre, porque toda

Em busca da verdade

extravagância culmina em prejuízo, e toda malversação de valores, em perdas parciais ou totais, como no caso do jovem presunçoso.

A sua *sombra* indu-lo ao gozo do prazer, da irresponsabilidade, da incontinência moral, porque os deveres na lavoura dos sentimentos desagradam-no.

A firmeza moral do irmão mais velho, trabalhando sem demonstrar fadiga nem aborrecimento, produz-lhe antipatia e faz que o deteste, deixando-o ao lado do pai idoso, sem nenhuma consideração pelos laços de família, numa participação mística coletiva, simbolizando a sociedade como um todo.

A totalidade da psique, representada pelo pai e alcançando o filho mais velho que cumpre o dever, incomoda o egoísta que vive em descontentamento porque deseja romper o vínculo, tornar-se livre, cair no abismo de si mesmo conforme irá acontecer.

Como as vivências ensejam o despertar da iluminação, ele cai em si e reflexiona que no lar, mesmo os servidores mais insignificantes desfrutam de apoio, alimento e segurança, enquanto ele nem sequer pode disputar com os suínos *as alfarrobas* que não lhe dão, resolvendo-se pela volta.

Recolhe-se ao mundo íntimo fragmentado e tem o *insight* de como proceder.

O arrependimento é o bálsamo para a culpa, reconhecendo que pecou *contra o céu e contra ti* (o pai), informa, seguro de ser bem recebido, mesmo que não fosse digno de ter *o nome de seu filho.*

O indivíduo comum, ainda não iluminado, deambulante da ilusão, pode ser comparado ao *filho pródigo*, leviano e insensato, que somente convive com objetivos de prazer pessoal e interesse mesquinho, distante das propostas éticas e dos deveres morais.

Vitimado pela libido exacerbada, entrega-se ao gozo na ilusória conduta de que não se acaba e as suas forças exaustas logo se renovam...

Pode também aparecer esse arquétipo nos indivíduos inseguros, instáveis, solitários, que em ninguém confiam, perdendo excelentes oportunidades de crescimento pela interiorização e pela reflexão, superando as heranças danosas do processo evolutivo ancestral.

De temperamento facilmente estremunhado, vive com ressentimentos e invejas, enfermo interiormente, que se nega ao tratamento por acreditar que não tem necessidade, já que os outros considera responsáveis pela sua situação psicológica, masoquistamente considerando-se incompreendido e perseguido.

Esse anseio de fuga dos outros é também o tormento da fuga de si mesmo, pela dificuldade que tem de autoenfrentar-se, de reconhecer a inferioridade e ser estimulado a trabalhá-la para conseguir a vitória.

É-lhe mais fácil atirar tudo para cima (ou para baixo) num gesto de libertação e seguir o tormento, para realizar a volta andrajoso, imundo, humilhado...

O *ego* presunçoso então desperta lentamente da *sombra* para o estado *numinoso*, que deverá conquistar sob os camartelos do sofrimento, que são os valiosos recursos hábeis para a vitória.

Em busca da verdade

Quando o genitor pede ao servo que lhe traga o anel, eis reconfirmado psicologicamente o arquétipo da antiga *Aliança* de Deus com os homens, por intermédio do *Arco-Íris*, demonstrando vinculação e amor.

As roupas limpas e novas, o novilho nutrido para a festa são os formidáveis arquétipos que se encontram em todos os mitos, particularmente no panteão grego, quando os deuses comungavam com os homens e banqueteavam-se, chegando, algumas vezes, ao desregramento pelos excessos que se permitiam.

O gesto do pai abraçando o filho de volta é a luz do amor que neste dilui a pesada *sombra* em que se debate.

DESPERTAR DO *SELF*

O irmão mais velho da parábola daquele que se pode chamar como o *pai misericordioso*, é o protótipo do *ego* desconsertante.

Enquanto estava a sós com o pai, parecia amá-lo, respeitando-o e obedecendo-o. Logo, porém, quando retornou o irmão de quem se encontrava livre, ressentiu-se, desmascarou-se, apresentando o outro Eu – *demônio interno* – amoral e indiferente.

Nem sequer preocupou-se em saber como retornara o irmão. Estaria feliz ou desventurado, concluindo que, por certo, na miséria, pois que do contrário não voltaria. Continuaria a sós ou consorciado, com filhos ou perseguido?

Nada disso lhe ocorreu, exceto o lugar que concedeu à mágoa por haver sido posto de lado, nem mesmo consultado para o banquete que ao outro era oferecido.

Permanecer longe do perigo, abrigado *dentro do lar,* garantido sob a proteção do pai é uma atitude muito cômoda e resguardada de desafios.

No estudo em pauta, bastaria ao filho mais velho esperar a morte do pai, entrar na posse de todos os bens e libertar-se da submissão, sendo convidado aos enfrentamentos que antes o genitor resolvia.

Esse comportamento é psicologicamente infantil, porque a existência humana é construída de forma a ensejar crescimento emocional, destemor e renovação constantes. Aquele que não se renova de dentro para fora, não consegue o desenvolvimento do *Self,* sempre emaranhado na *sombra,* deixando que tudo aconteça à revelia.

Há contínuos desafios no processo criativo do ser espiritual que busca o *numinoso,* a vitória sobre a ignorância e o *demônio* do mal interno.

A imagem do pai, que era aceita como um homem benigno para com ele, que se considerava merecedor de toda a compensação, diluiu-se-lhe, no momento do confronto com o seu irmão, de quem se vira livre, dando lugar à exteriorização de que o não amava.

Havia-se liberado do competidor que, no entanto, eram os próprios conflitos, os dois *Eus,* ambicioso um, sereno o outro, pacífico o mais ponderado, demoníaco o mais atrevido que agora o dominava.

Interiormente, nesses seus muitos conflitos, ele também não se amava a si mesmo, transferindo essa emoção

Em busca da verdade

em forma de suspeita para o pai e para os demais, razão por que desejara festejar com os amigos, atraí-los, conquistá-los, *comprá-los*, como habitualmente acontece...

Todo indivíduo inseguro desconfia dos demais e transfere para eles as razões do seu temor, do seu sofrimento. Afastam-se para não lhes acompanhar o êxito, ou tenta conquistá-los por meio de oferendas, não se dando realmente pela afeição, doam coisas que não têm valor.

Desse modo, para ele, o amor paterno teria que ser parcial, exclusivista, em relação a ele, com animosidade pelo desertor.

Normalmente se censura o jovem que viajou para o *país longínquo*, também fugindo de si mesmo, e elogia-se aquele que ficou ao lado do ancião, mais por conveniência do que por fidelidade, sem analisar-se mais profundamente ambas as atitudes.

Trata-se de uma visão psicológica imperfeita em torno da realidade.

O filho fiel é o mito representativo de Abel, generoso e bom, que será sacrificado por Caim... Todavia, esse Abel gentil não amava Caim, o seu irmão mais jovem e extravagante, considerado perverso e insensível por abandonar o pai idoso...

Preferido pelos mitos Adão e Eva, perdeu o contato com a realidade e o seu irmão o assassinou.

Agora, o mito Abel no filho mais velho gostaria de assassinar Caim, que se tornara bom, que voltara tomando-lhe o lugar, ou pelo menos parte dele, no sentimento do pai que o mantinha no Éden.

O genitor, no entanto, misericordioso, que não censurou o desertor e recebeu-o com júbilo, tampouco procedeu com reclamação em referência ao filho magoado.

Foi buscá-lo fora e convidou-o a entrar na festa, a participar da alegria de todos.

É comum a solidariedade na dor, mas não no júbilo, em face da inveja e da amargura.

O irmão mais velho submetia-se ao pai, mas não o amava, quanto fingia, porque logo o censurou, ressumando sentimentos de recusa inconscientes, pelo fato de jamais haver-lhe oferecido um *cabrito* pelo menos para que se banqueteasse com os amigos, enquanto ao insano ofereceu o melhor novilho...

O ciúme é terrível chaga do *ego* que expele purulência emocional.

O pai gentil e afetuoso, sensibilizado com o jovem de retorno, pediu um manto para cobri-lo, já que o outro também o possuía, evocando a proteção e o amparo que lhe eram oferecidos.

– *Criança* – diz o pai ao filho que o censura –, *tu sempre estás comigo, e tudo o que é meu é teu; entretanto, cumpria regozijarmo-nos e alegrarmo-nos, porque este teu irmão era morto e reviveu, estava perdido e se achou.*

O pai deu-se conta de que o outro filho, o mais velho, também estava *morto* porque ressumava amargura, encontrava-se perdido, porque não participava da sua e da alegria de todos que encontraram aquele *seu irmão* que *era morto e reviveu*, que *estava perdido e se achou.*

O *ego* encontrava o *Self*, despertando-o para uma futura integração, liberação da fissura na psique...

Em busca da verdade

O *Self* do filho mais velho está envolto pela *sombra* ameaçadora, criminosa.

A parábola não informa qual a sua atitude, a do mais velho, em relação ao mais moço, após as informações dúlcidas e os esclarecimentos compreensíveis do seu pai.

Certamente, o eixo *ego–Self* se tornou mais vigoroso, em face do amor do *arquétipo primordial*, sem limite, libertando-se dos mitos hostis e vingativos.

Prometeu, por exemplo, foge de Zeus, engana-o com artifícios contínuos para não morrer, até que tomba na armadilha da própria existência física temporária, e Zeus recebe-o, aprisiona-o, suplicia-o num rochedo, no qual foi colocado para sofrer calor, frio e uma águia fere-lhe o fígado durante o dia, que se refaz à noite, até o momento quando os deuses intercedem por ele e a sua punição é revogada...

O filho mais velho quer fugir do pai amoroso após censurá-lo acremente, evita fitá-lo nos olhos e receber-lhe o abraço, mas não poderá viver indefinidamente sob as *picadas* da mágoa, remoendo a prisão no *rochedo* do desencanto, ao frio e ao calor das reflexões doentias... O *Self* é induzido a despertar sob a intercessão dos sentimentos de nobreza que remanescem no íntimo, como divina herança da sua procedência.

O irmão chegou quase descalço, sandálias rasgadas e imprestáveis. O pai logo lhe providenciou calçados novos, porque os pés são as bases valiosas de sustentação do edifício fisiológico, que não pode ser mantido em segurança quando lhe falta alicerce...

A *mãe-Terra* oferece os recursos para o organismo e os transforma; o hálito da vida, porém, vem do Amor.

Cuidar das bases é característica definidora de despertamento do *Self*, da responsabilidade perante a vida.

O irmão jovem iluminou o *ego* com a consciência de si, reconheceu o erro, renovou-se pela humilhação que o engrandeceu, enquanto o mais velho liberou das estruturas profundas do inconsciente as paixões da vingança e da maldade, a Erínia mitológica encarregada de ferir Sísifo, conduzindo a pedra ao topo da montanha de onde ela escapa e rola para baixo, obrigando-o a erguê-la sem cessar...

A parábola bem poderia ser dos dois filhos ingratos, que o amor reúne sob o mesmo manto protetor do pai, ligando-os pelo anel da família, traço de união com toda a Humanidade.

A família provém do clã primitivo que se une para a defesa da vida, do grupo animal, sendo um arquétipo de grande força psicológica.

A força do animal que caça encontra-se no instinto da astúcia, no grupo famélico, na agressão automática e simultânea contra a presa.

Desestruturar a família é também desnortear-se.

A reencarnação, com a força de diluir os velhos arquétipos perturbadores e criar outros benéficos, reúne indivíduos de caráter antagônico ou em situação de vingança para resgates, ou afetuosos e bons para fortalecer a evolução e preservar o instituto doméstico.

Aqueles dois irmãos, que não eram antagônicos na aparência, viviam intimamente em oposição, faltando somente o momento de demonstrá-lo.

Em busca da verdade

A paternidade zelosa, o *divino arquétipo de* Zeus ou de Júpiter, ou de Apolo, ou de Yahveh, todo-poderosos, reúne-os e tenta ampará-los.

O filho jovem era leviano e despertou sob os acicates do sofrimento.

A sandália rasgada, as vestes em trapos, a cabeça raspada, a atitude genufletida diante do pai são os destroços que demonstram o insucesso, o esforço para o recomeço, o entrar novamente no *ventre materno* para renascer, por isso, voltou para *dentro de casa.*

Em realidade estava no pátio da casa de seu pai, não se adentrara ainda, não teve tempo nem oportunidade.

O filho mais velho era angustiado e conseguia disfarçar os sentimentos doentios.

Não quis participar da alegria do reencontro, porque isso demonstraria a sua falta de afeição, a sua contrariedade por ter que voltar a competir com o irmão vencido pelo sofrimento.

A oportunidade ameaçava passar sem ser utilizada.

Na existência humana cada momento tem o seu sentido profundo, o seu significado essencial, a sua magia.

A infância dá início ao processo de crescimento interno do *Self,* entretanto, ele permanece imaturo em qualquer período da existência humana, desde que não tenha recebido os estímulos para desenvolver-se, para desvelar-se em sabedoria e luz.

O primeiro filho demonstrou imaturidade psicológica – a infância.

O segundo expressou pessimismo e depressão, ressumando primarismo emocional, outro estágio da infância emocional.

Entretanto, a terapia saudável para esses males foi o amor do pai, sua compreensão e misericórdia, sua paciência e confiança na força do seu afeto.

Com esse contributo de fora despertou o *Self* dentro de cada qual dos membros da parábola, de cada criatura que se possa identificar com algum dos membros da narrativa.

A parábola poderia ser concluída, elucidando que o pai devotado levou o filho ressentido para dentro de casa – uma viagem interna ao encontro do *Self* – e o aproximou do irmão arrependido – Caim ressuscitado!

Assim sendo, olharam-se por largo e silencioso tempo de reflexão, superando distâncias emocionais, culminando em demorado abraço de integração dos dois *Eus* num *Self* coletivo, rico de valores e sentimentos morais, entre as lágrimas que limparam as mazelas, as heranças lamentáveis do *ego* soberbo e primário.

Integração moral

A parábola, rica dos símbolos arquetípicos ancestrais, é um magnífico processo psicoterapêutico para os que sofrem imaturidade psicológica, os que vivem dissociados no turbilhão dos *Eus* em conflito.

Enquanto se desconhecem as lutas e não se tem ideia das infinitas possibilidades de crescimento interior, transitando entre os hábitos sistemáticos e improdutivos, as aspirações fazem-se de pequeno alcance, não passando das necessidades fisiológicas, dos processos da libido, das par-

Em busca da verdade

cas ambições imediatas: comer, dormir, gozar e suas consequências fisiológicas...

Os valores morais, embora em germe, permanecem desconhecidos ou propositalmente ignorados.

Normalmente aquele que se encontra perdido espera ser encontrado, quando o ideal é sair da sua solidão no rumo certo por onde deve prosseguir.

É muito comum a busca de Deus pelas criaturas contritas, que se sentem perdidas, embora vivenciando a desintegração dos valores morais, em vez de predispor-se a serem por Deus encontradas, avançando na Sua direção.

Na busca, há uma ansiedade e uma luta interior contínuas, há dificuldade de compreender o significado da existência, assim como a razão dos apegos e tormentos, enquanto que, à disposição, ascendendo-se intimamente, liberam-se dos conflitos, e abrem-se ao entendimento das ocorrências e à necessidade de experienciar-se os diferentes períodos do processo de independência para que não permaneçam traumas, inseguranças e insatisfações...

Todo o processo deve ser acompanhado de amadurecimento psicológico, de autocompreensão, de entrega em forma consciente.

A viagem interna, para colocar-se à disposição de Deus, é confortável, porque silenciosa e renovadora, enquanto que a busca externa, no vaivém dos desafios e das incertezas, produz o prejuízo do desconhecimento da escala dos valores éticos, assim como a dos significados existenciais.

Quando o *filho pródigo* se apresenta em situação deplorável, rebaixando-se e submetendo-se ao pai, nele há

51

uma grandeza ética fascinante, que o torna elevado, que o dignifica, em vez de quando parte, carregando muitos valores amoedados e joias, porém, apequenado, porque vazio de objetivos existenciais.

É comum o indivíduo subestimar-se, acreditando que somente terá valor quando possuir as coisas que brilham e que dão realce social, que produzem destaque na comunidade e despertam ambições, invejas, ciúmes. Esse conceito reveste-se do mito infantil de um paraíso fascinante e tedioso, diante da árvore do *Bem e do Mal*, ameaçadora, insinuando que a descoberta da nudez interior, da pequenez moral, dos medos sub-repticiamente disfarçados na balbúrdia que faz em volta a fim de não serem identificados, será um terrível mal, porque o atira fora, obrigando--o a rumar para *um país longínquo*.

Nessa conduta, a insatisfação sempre enche a taça repleta de prazer com o azedume e o tédio, sorvendo sempre mais, e esvaziando-se muito mais, por falta de valores edificantes e legítimos.

As conquistas de fora não conseguem preencher as perdas interiores.

O conflito é inevitável, porque somente quando se é capaz de viver conforme os padrões nobres da solidariedade e do equilíbrio moral, a saúde e o bem-estar se instalam no comportamento humano.

Nesse encontro com o perdido – o eixo *ego–Self* – ocorre uma grande alegria, quando o encontrado, que se permite integrar no grupo de onde se afastara, percebe que o *pai misericordioso* – o estado *numinoso* – sempre esteve

Em busca da verdade

ao seu alcance, e a fissão psíquica era o inevitável resultado do processo de busca para a aquisição da consciência.

Todos os indivíduos passam por esse estágio, sendo--lhes necessário proceder à integração.

Nessa fase inicial do despertar da consciência, não existem valores éticos nem conceitos morais, exceto aqueles que decorrem das necessidades primitivas que ainda permanecem em a natureza humana.

O amadurecimento psicológico lento e seguro propicia a descoberta desses tesouros íntimos que direcionam o comportamento, ajudando a discernir como viver-se saudavelmente ou de maneira tormentosa.

O hábito arraigado de ser-se infeliz sob disfarces múltiplos conspira contra a identificação dos valores morais e a conquista do *si-mesmo*.

Eis por que a Parábola do Pai Misericordioso é rica de possibilidades para a integração dos valores morais esparsos, destituídos até ali de significado real, esquecidos ou em choques contínuos conforme os interesses mesquinhos dos filhos...

Sem dúvida, na análise psicológica de cada indivíduo, ele pode assumir, ora a personalidade do filho pródigo, noutro momento a do irmão ciumento, raramente, porém, se encontrará integrado no genitor compreensivo e dedicado, que reúne os dois filhos, ambos necessitados, sob o manto da bondade e da compreensão.

Essa possibilidade, quase remota, por enquanto, pelo menos durante a fase de ajustamento do *demônio* com o *anjo* interiores, acontecerá quando o amor se despir de egotismo, e o símbolo de *Eros* assim como o de *Cupido* adquirirem a abrangência do sentimento universal do amor, que integra a criatura ao Seu Criador e a torna irmã de todos os demais seres sencientes que existem.

O *pai compassivo* por excelência libera não mais o *filho pródigo*, porém, os filhos que se tornaram saudáveis, apoiados na compreensão dos seus deveres perante a vida e a sociedade, contribuindo em favor do progresso geral.

Nessa fase, toda a herança ancestral do primitivismo antropológico cede lugar à consciência do *si-mesmo*, proporcionando incontáveis bênçãos de que o ser tem carência, auxiliando-o na conquista da sua plenitude.

Não lhe será necessária a morte orgânica para desfrutar do Nirvana ou penetrar no Reino dos Céus, porquanto já os conduzirá no íntimo, em forma de autorrealização e de tranquilidade.

A doença, o infortúnio, a morte já não o impressionam, porque se dá conta de que esses acidentes de percurso fazem parte do processo de crescimento, e, à semelhança do diamante que reflete a luz da estrela, não lhe ficam as marcas do carvão bruto que era antes da lapidação.

Indispensável, portanto, compreender-se que o Pai deseja encontrar o filho perdido *num país longínquo* e reabilitar aquele que se perdeu em si mesmo, no país próximo-distante da afetividade doentia.

A integração dos valores morais resulta desse esforço realizado pela consciência profunda que busca a integração do *ego* imaturo, dando-lhe significado existencial, trabalhando pela harmonia dos sentimentos e dos comportamentos.

Jesus conhecia a psique humana em profundidade, os seus abismos, as suas heranças, os seus equívocos, as

Em busca da verdade

suas incertezas, todos os seus meandros, e porque identificava naqueles que O seguiam os tormentos que os infelicitavam, apresentou na Parábola do Filho Pródigo o eficiente processo psicoterapêutico para as gerações do futuro, de forma que, em todas as épocas porvindouras, o amor e a compaixão, libertando dos traumas e dos ressentimentos, contribuíssem para a plenificação interior dos indivíduos.

3
ENCONTRO E
AUTOENCONTRO

UM PAÍS LONGÍNQUO • VOLTAR PARA CASA •
AMAR PARA SER FELIZ

A Parábola do Filho Pródigo é um manancial de informações psicológicas profundas, guardando um tesouro de símbolos e significados que merecem cuidadosa análise, a fim de retirar-se do seu conteúdo as lições de paz e de saúde necessárias para uma existência rica e abençoada.

Durante muito tempo o Evangelho de Jesus recebeu interpretações doentias e perturbadoras, conforme o equilíbrio emocional e espiritual dos seus tradutores, teólogos e pastores, mais interessados em projetar a *sombra* em que se debatiam do que as extraordinárias orientações de luz de que se revestia.

Propondo a humildade, levavam os seguidores a transtornos de conduta graves, estimulando o menosprezo à existência física, a desconsideração por si mesmos, o autodepreciamento, o culto ao masoquismo disfarçado de santificação como o caminho para a iluminação.

Como se pode considerar a vida, esse incomparável tesouro por Deus concedido ao ser humano, como desprezível, digna de ser desrespeitada nos seus mais nobres significados: alegria, bem-estar, utilização saudável do sexo, solidariedade e convivência, como negativos, impondo o isolamento, a severa abstinência sexual, o silêncio, o sofrimento, em nome da Boa-nova?!

Somente indivíduos emocionalmente castrados poderiam impor os seus tormentos aos demais, aos quais invejavam a saúde e comunicabilidade, de forma que se sentissem felizes com a desdita dos outros, em transtorno sadomasoquista, adulterando toda a proposta libertadora de Jesus, o Homem bom e nobre por excelência, que mais demonstrou amor e alegria na convivência com os desafortunados do que todos os demais.

Pregando dignidade, esses atormentados intérpretes das Suas lições condenavam o erro, massacrando os equivocados, os que delinquem, os que aguardam apoio, por serem ignorantes ou enfermos, distanciados d'Aquele que é o *pão da Vida* e veio exatamente para os infelizes e até mesmo para os infelicitadores...

Felizmente, com o avanço da cultura, com a ruptura dos laços férreos que mantinham a sociedade jungida aos dogmas enfermiços, descobre-se, cada dia, a grandeza da mensagem cristã, conforme Jesus e os Seus primeiros discípulos a viveram e divulgaram, verdadeira canção musicoterapêutica, sinfonia de esperança e de consolação.

As Suas parábolas, por isso mesmo, mantêm guardadas as respostas significativas e especiais para as perguntas inquietantes do comportamento humano.

Em busca da verdade

Nelas, somente existem libertação e bondade, harmonia e júbilo, guardando, nos seus símbolos, verdadeiros poemas de interpretação das incógnitas existenciais.

Nesse maravilhoso significado insere-se a do *filho pródigo* que, de alguma forma, somos todos nós.

Enquanto os fracos emocionais e os dependentes de punições nela encontram a baixa autoestima, o remorso, a angústia da volta, o que se constata é a irrestrita confiança no *Pai generoso*, a certeza da alegria de ser bem recebido, a recuperação moral pelo equívoco vivenciado, a expectativa do recomeço em novas paisagens de afeto e autorrealização.

Por muito tempo estabeleceu-se que a humildade deve ser vivida em forma de desprezo por si mesmo e pelos valores com que a vida social estabelece os seus relacionamentos, fomenta o progresso das massas e dos indivíduos.

O autoabandono, a autodesconsideração e o autodesprezo tinham prioridade na conduta do adepto religioso, no passado, em violência contra as leis naturais, impondo-se uma conduta incompatível com a mensagem de amor e de felicidade.

Pessoas amargas, que mantinham autorrejeição, refugiando-se em falsas justificativas religiosas, procuravam escamotear a mágoa em relação às demais, a raiva contra si mesmas e os outros, negando-se a felicidade, que acreditavam não a merecer, porque se encontravam sob o impositivo da *sombra* ancestral, defluente das culpas dos atos ignóbeis praticados em existências anteriores.

Negando-se a oportunidade do encontro com o *Pai amoroso*, por não sentirem a vigência do amor em si mesmas, ainda hoje recusam-se o autoencontro, numa análise profunda que lhes poderia propiciar a visão mais saudável da Realidade.

Os seus mitos são as *Parcas* terríveis, as cóleras dos diversos deuses vingativos, as subjetivas ameaças de destruição apocalíptica, numa vingança generalizada, na qual o temor da morte desaparece, porque representa a destruição de tudo e de todos.

As advertências contínuas sobre o egoísmo, o orgulho, a prepotência e o encantamento das virtudes teologais, do altruísmo, da humildade, da fraternidade produzem, não poucas vezes, a *virtude* do autodepreciamento, da autodesconsideração, quase numa exibição forçada de triunfos que, em realidade, não existem no campo psicológico, porque ninguém pode comprazer-se na inferioridade, no engodo, na negação dos problemas existentes...

A Parábola do Filho Pródigo é todo um conjunto de lições psicoterapêuticas e filosóficas, de cunho moral e espiritual incomum.

Na sua mensagem não se encontram quaisquer tipos de censura a nenhuma das atitudes dos dois filhos, nem reproche ou dissimulação diante das ocorrências. Tudo se dá de maneira natural, em júbilo crescente, porque *aquele que estava perdido* foi *encontrado*, e porque *estava morto*, agora se deparava *vivo*.

A alegria da autoconsciência é esfuziante, porque ocorre depois do reencontro, na *volta a casa*, ao lar, ao abrigo emocional seguro, que é a conquista de paz e da correção dos atos.

O corpo é ainda um *animal*, algumas vezes insubmisso, que necessita das rédeas da aprendizagem para a

Em busca da verdade

disciplina espontânea e o comportamento correto que o direciona de acordo com as necessidades do *Self* criativo a caminho do *numinoso*.

O Espírito é herdeiro de todas as experiências que vivencia ao longo das sucessivas reencarnações, sendo natural que, não poucas vezes, predominem aquelas que mais profundamente assinalaram a conduta anterior, ressumando em forma de desejos e conflitos nem sempre identificados.

Por isso, uma análise dos símbolos oníricos, as associações e reflexões com o psicoterapeuta conseguem eliminar as fixações morbosas e as reminiscências angustiantes que se expressam como tristeza, insegurança, timidez, dificuldades de relacionamentos...

A identificação dos símbolos e sua interpretação exigem acuidade psicológica, experiência de consultório e interesse destituído de vinculação emocional para auxiliar o paciente no encontro com a vida e no autoencontro, descobrindo a sua realidade.

O manto com que o *pai amoroso* manda vestir o *filho pródigo* bem representa o apoio, a cobertura afetiva que lhe é ofertada, igualando-o a ele mesmo, que também o ostenta.

A primeira preocupação do genitor é com a aparência do filho de retorno, com os cuidados de higiene e de vestuário, de adorno – o anel – de apresentação, porquanto agora já não havia razão para permanecer conforme chegara.

Não será admitido como servo, mas como filho que tem direito à herança e ao seu amor.

Por essa razão ele viera do *país longínquo* de retorno ao lar.

Um país longínquo

Existe *um país longínquo* onde a vida estua e tem início, ensejando o processo de crescimento espiritual, nas sucessivas experiências reencarnacionistas. Mesmo quando o viajante se encontra no *país terrestre*, por não se conhecer, ainda não havendo identificado as diversas províncias emocionais por onde pode transitar com segurança ou não, deixa-se identificar pelas expressões mais grosseiras das necessidades fisiológicas, das sensações orgânicas, do imediato que lhe fere os sentidos.

Periodicamente, fascinado pelo brilho falso das ilusões, relaciona todos os haveres que estão ao seu alcance, mas que não lhe pertencem, e pede ao Pai que lhe permita usufruí-los à saciedade, fugindo de casa, da segurança do lugar em que se encontra, para tentar ser feliz, conforme o seu padrão mentiroso.

Herdeiro dos recursos da inteligência e do sentimento, das tendências artísticas e culturais a que não dá valor, porque lhe exigem sacrifícios e desafios contínuos, reúne os tesouros da sensualidade, das ambições desmedidas, dos jogos dos sentidos primitivos, do acúmulo das forças juvenis e parte para outra região onde pode refestelar-se no prazer irresponsável, esquecido dos compromissos mantidos com a vida.

Exaure-se, em companhia dos seus demônios internos e dos seus anseios desregrados, até que surge a *fome*, por escassear os meios de prosseguir na loucura, e termina por encontrar companhia nas pocilgas dos vícios mais perversos, alimentando-se dos miasmas e excentricidades

Em busca da verdade

que lhe chegam em decorrência do abandono dos parceiros emocionais...

É, então, quando tem um *insight* e dá-se conta de que não é aquilo, somente se encontra daquela forma, que não necessita de chafurdar mais fundo no chavascal da vergonha e do desdouro moral, quando tem um *Pai generoso* que trata bem aqueles que lhe servem, e pensa em voltar, pedir-lhe perdão, demonstrar o sofrimento que experimenta, a necessidade de recomeço, a submissão aos seus nobres deveres.

No processo da evolução, não são poucos os indivíduos que procedem de maneira diversa. A princípio, desejam a independência, sem mesmo saber o de que se trata, que anelam pela liberdade que confundem com libertinagem, que anseiam pelo prazer, que pensam derivar-se do poder, arrojando-se às aventuras doentias e perturbadoras, em que amadurecem psicologicamente no calor do sofrimento.

Dão lugar a provações severas como os metais que necessitam do aquecimento para se tornarem plasmáveis e aceitarem as imposições dos artífices, vivenciando um período angustiante, para somente então pensarem em *voltar para casa*.

Recordam-se de que, na província de onde vieram, havia alegria, diferente, é certo, mas júbilo, e desejam fruí-lo, como é natural. Enquanto permanecem no gozo desgastante, desperdiçando a *herança que conduziam*, tudo é frustrante, o desespero é crescente, as perspectivas são negativas, o que os impele a uma nova tomada de decisão. Essa não pode ser outra, senão o retorno a casa, às raízes, a fim de recomeçar e renovar-se.

As províncias do coração humano são muitas e quase sempre estão sombrias, assinaladas pelo desconhecido, pelo não vivenciado, que favorecem as fantasias exclusivas do prazer e do gozo.

Toda província, no entanto, por melhor, por pior que seja, possui diversificadas paisagens que aguardam a contribuição daqueles que as habitam. Numas é necessário remover o lodo acumulado, cavando valas para extravasar a podridão, enquanto que, noutras, alargam-se os horizontes para que mais brilhe o Sol da beleza e da estesia.

Esse *país longínquo*, olhado desde o mundo causal, pode ser a Terra, para onde vêm os Espíritos com os bens herdados do Pai, a fim de desenvolverem os mecanismos da evolução e aplicarem os recursos de que são portadores, o que nem sempre acontece de maneira favorável aos que o alcançam.

Sob outro aspecto, pode ser o mundo espiritual onde se inicia a experiência evolutiva e se dispõe de recursos inapreciados para serem desenvolvidos mediante os esforços empregados, ocorrendo que, nas primeiras tentativas, o olvido momentâneo da responsabilidade e os *demônios* internos que são sustentados pelas paixões primevas estimulam o desperdício dos bens preciosos. Saúde, pureza de sentimentos, alegria espontânea constituem tesouros de alta valia, que devem ser preservados, a qualquer custo, da contaminação dos fatores dissolventes do *novo país*, porquanto, na volta para casa eles serão de altíssima significação, evitando os desastres emocionais e afetivos.

Analisando-se o núcleo arquetípico do *ego*, observa-se que ele não se modifica de um para outro instante, desde o momento em que ocorre a viagem ao *país longínquo*,

Em busca da verdade

predominando as tendências ancestrais que o direcionam para os interesses imediatistas, as conveniências, sem abrir espaço ao *si-mesmo* que ambiciona o infinito.

Essa consciência do *ego* – a superfície da psique – sofre *colisões* contínuas que procedem das emoções habituais e das aspirações de libertação, auxiliando no seu desenvolvimento, alterando-lhe a estrutura e abrindo-lhe campo para mais amplas realizações.

Os problemas afligentes, que se podem apresentar como enfermidades de vário porte, conflitos diversos, à medida que se dão as *colisões,* operam despertamentos e surgem oportunidades de mais acuradas reflexões, *insights* valiosos, que irão trabalhar em favor do amadurecimento do *Self,* o viajante incansável da evolução...

O animal humano sexuado, vitimado pela pulsão dominante, não lhe é escravo exclusivo, porquanto outras pulsões apresentam-se-lhe com fortes imposições que não podem ser desconsideradas.

Desde a pulsão da fome àquelas do idealismo mais elevado, trabalham pela transformação das forças da libido em satisfações outras também plenificadoras que impulsionam para a saúde e o bem-estar.

A pulsão do *filho pródigo* entregando-se ao sexo desvairado, na fase da deserção da casa paterna – o santuário do equilíbrio, o Éden da inocência –, empurrou-o para o abismo do conflito e da culpa, do sofrimento e da amargura, descobrindo que o desejo sexual, por mais acentuado, quase sempre ao ser atendido, não oferece a compensação esperada, o que produz frustração e ansiedade.

A ansiedade induz ao desespero, e a perda do discernimento trabalha em favor dos transtornos de conduta que se podem agravar.

Raramente, nessa conjuntura, o *ego* desperta para perceber-se equivocado e induzir a *volta para casa*.

No conceito de que o *ego* é o centro da consciência, devem ser trabalhadas todas as suas manifestações, de modo a valorizar os bens de que dispõe, não os desperdiçando com *as meretrizes* nem os companheiros de orgia, esses *elfos* que permanecem como realidades arquetípicas no inconsciente, conduzindo-o na repetição das experiências malogradas.

Há um *país longínquo* a ser conquistado pelo *ego*, simbolizado pela conduta correta, pela consciência liberada dos conflitos.

A existência corporal é sempre um mecanismo de distrações da consciência profunda do *si-mesmo*, que, embora superficial, exerce uma predominância na escolha dos comportamentos humanos.

Caso alguém se coloque na posição do irmão mais velho da parábola, valerá o esforço de considerar que o outro, seu irmão, não foi feliz na tentativa de ir para o *país longínquo*, mas teve a coragem de *voltar a casa*, embora maltrapilho, esfaimado e arrependido.

A pulsão da fome é forte em todos os seres viventes, porque nela se encontram os recursos para a permanência, a continuidade da vida, o equilíbrio da saúde...

A *sombra* daquele que ficou aturde-o, torna-o irascível, em mecanismo de preservação da própria sobrevivência, que situa nas posses que o pai lhe legou desde antes da morte, permanecendo, porém, *morto* psicologicamen-

Em busca da verdade

te para muitos valores, mesmo durante a vilegiatura do progenitor.

Naquele momento, quando o irmão volta, a sua *morte* não lhe permite a lucidez para compreender que também ele tem estado em *um país longínquo*, onde residem a indiferença, a ambição, a cupidez e o egoísmo.

As mudanças arquetípicas do *ego* dão-se nas fases da infância para a juventude, dessa para a idade adulta, e daí para a senectude, quando o *Self,* amadurecido, deve comandar o conjunto eletrônico delicado que é o ser humano.

Isso, porém, somente acontece quando os indivíduos estão dispostos a despertar para a sua realidade, superando a *sombra* em vez de cultivá-la.

Não serão essas fases, cada período, também um *país* psicológico *longínquo* do outro, que deve ser conquistado a esforço e tenacidade da vontade?

A vontade é um impulso que nasce da razão e se transforma em força que deve ser direcionada de maneira adequada para resultados relevantes de dignidade e de crescimento intelecto-moral no processamento dos valores da existência terrestre.

Será, portanto, a vontade bem-dirigida que impulsionará o *ego* a vencer cada fase, deixando-a à margem após transpô-la, a fim de que não venha a ressumar noutro período.

Por falta de esforço encontram-se indivíduos adultos vivenciando o período arquetípico da infância, ou na idade avançada ainda com as aspirações de adulto, quando o organismo já não dispõe das forças naturais para esse tipo de comportamento.

Sendo o processo de vida um fenômeno entrópico, ele se desenvolve graças ao desgaste da energia, e por isso mesmo, cada período estará nutrido pelas forças hábeis e correspondentes à sua fase.

Mantendo-se o *ego* em harmonia com o *Self,* equilibra-se o eixo que os liga, e a *sombra* cede espaço ao discernimento, liberando toda a energia para o processo de *individuação* que deve constituir a grande meta.

Há quem pense que a fuga do *filho pródigo* tem um significado arquetípico, no que diz respeito ao estoicismo, à coragem de buscar-se, de realizar o encontro, de descobrir-se interiormente, de lograr a conquista do *Self.*

Anuímos, de alguma forma, com a tese, lamentando somente o processo da ingratidão, da perda do sentido existencial no abandono ao Pai, naturalmente rompendo o *cordão umbilical,* num momento em que ainda não dispunha da maturidade para os autoenfrentamentos, redundando a tentativa no retorno à casa de segurança, à proteção do genitor.

A conquista do *si-mesmo* há de ser realizada em atitude interior para superar os impositivos da *sombra* egoísta e perversa, que seduz e ilude, dando imagens equivocadas da realidade e negando a possibilidade da libertação.

Na proposta de *progressão* junguiana, torna-se necessário o bom encaminhamento da energia da libido, canalizando-a em favor da melhor compreensão da existência humana e da sua aplicação na conquista dos recursos que a edificam. Quando, por alguma razão, ela é interrompida, dá-se um choque, qual seja a perda dos interesses libertadores, passando a uma fase de regressão e perdendo-

Em busca da verdade

-se no inconsciente, desenvolvendo complexos e conflitos perturbadores.

Nesse sentido, a psicoterapia em geral e a espírita em particular, libertando o indivíduo das amarras do erro e dos enganos, estimula-o à autossuperação das deficiências graças ao empenho da vontade e à contribuição da libido, ora direcionada para fins nobilitantes, sem tormentos nem ansiedades de sublimação, mas simplesmente aplicando de maneira saudável.

Assim agindo, encontra-se o caminho de ida segura ou de volta razoável ao *país longínquo*, que pode estar no inconsciente como a meta existencial a conquistar.

Voltar para casa

A *volta para casa* é uma viagem rica de alegria, de formosas expectativas, de lembranças queridas, das raízes, de segurança do conhecido ante o bravio mundo desconhecido.

O *Pai misericordioso* é apoio e amparo, mesmo na parábola, em momento algum ele recalcitra, seja no instante quando o filho deseja aventurar-se na loucura, iludindo-se com a possibilidade do autoencontro adiante, ou no da volta, sem nenhuma reprimenda.

Em casa, no conhecido lugar de desenvolvimento dos valores profundos do *ego* e da afirmação do *Self,* existe alegria em razão da simplicidade, dos recursos que propiciam a saúde e o bem-estar, mas também pode asfixiar ou afligir, por falta de liberdade total em que se possa expressar.

Não se pode ser livre *in totum*, em razão dos limites impostos pelas leis e mesmo pelo organismo que, de alguma forma, é um ergástulo necessário para a evolução.

Esse Pai, no entanto, deseja a felicidade do filho, ele pode estar configurado no superconsciente, em expectativa agradável de que tudo será resolvido, e para que isso ocorra, compreende as desilusões e as experiências malogradas que aquele viveu, não lhe aumentando a carga de culpa nem de remorso, antes liberando-o, para que se possa estabelecer definitivamente na confiança e na renovação.

O filho, não sendo censurado, não sente vergonha, não experimenta constrangimento.

Mas aquele *Pai misericordioso* também não reclama da conduta do outro filho ciumento, em difícil trânsito da adolescência para a vetustez da maturidade, porque a dor que experimenta já é uma forma de punição em referência à sua conduta. Esforça-se por diluir-lhe a mágoa, justificando que tudo *que tem é dele, que ele tem estado ao seu lado*, portanto, desfrutando de segurança e de alegria.

Merece consideração o detalhe da oferta de um anel que o pai faz ao transviado, esse elo de vinculação profunda, a fim de restabelecer a ligação que fora interrompida pelo *ego* inquieto, doentio. O anel será sempre um símbolo de bem-estar, auxiliando na cura dos tormentos que se demoram no seu mundo interior.

As sandálias, que também lhe manda pôr aos pés, são de relevante significado, porque revelam prestígio social. Os descalçados são a representação da penúria e do desprezo, psicologicamente aqueles que não têm apoio para a marcha, que se acreditam destituídos de recursos emocionais para os enfrentamentos, já fracassados, por-

Em busca da verdade

que perderam os chinelos de proteção aos pés andarilhos, agora impedidos de avanço, porque abertos em feridas, vitimados pelos espículos e pedrouços do caminho. Esses impedimentos são as atrações perturbadoras, os prazeres insanos, os gozos intoxicantes...

Por fim, chegando a casa, o filho recebe um manto que o iguala ao pai e ao irmão, ele que desejara ser recebido como um pária, um servo, um suspeito de confiança, torna-se, dessa maneira, um igual, alguém querido que merece respeito.

O *Pai misericordioso* abre-se ao *Self* do filho e agasalha-o no manto de púrpura que ele próprio veste, assim como o possuem o outro filho e os seus convidados de destaque.

Em casa, não há lugar para a inferioridade do retornado, porquanto o amor a todos iguala, dando-lhes oportunidade de crescimento e de iluminação.

As criaturas tendem a manter posturas de tristezas, melancolias prolongadas, conflitos em torno do existir. Mesmo quando tudo convida à reflexão da alegria, desde um botão singelo de rosa, que desabrocha aos beijos cálidos do Sol, à magnitude gloriosa do nascer do dia.

A *sombra* densa dos atavismos reencarnacionistas nelas permanece perturbadora, patológica, anulando a alegria natural da experiência de viver e de crescer, sendo cultivada em forma de transtorno masoquista e afligente.

Deus é o mais extraordinário exemplo de alegria, conforme Jesus sempre O decantou. É o Pai dos felizes e dos angustiados, a todos oferecendo a incomparável oportunidade de reencontrar-se na estrada evolutiva, de recomeçar quando equivocado, e de prosseguir enriquecido quando eficiente e produtivo.

A própria mensagem do Carpinteiro Galileu é um hino de júbilo, porque Ele não possuía *sombra*, era todo *numen*, convidando à satisfação do desenvolvimento psicológico e social, de forma que todos pudessem desfrutar de felicidade, conforme a preconizava e vivia.

A Sua mensagem é libertadora, produzindo bem-estar e autorrealização, conferindo valores existenciais que permaneciam adormecidos.

A fuga para a tristeza produz infelicidade, porque as densas trevas do desinteresse pelo desenvolvimento do *Self* tornam o *ego* mais castrador e impeditivo de experimentar solidariedade e harmonia. Enquanto vicejem os conflitos defluentes da melancolia, da insatisfação, da queixa, pode-se fugir para a autoanulação, para a morbidez existencial.

Na parábola, as vestes oferecidas ao *filho pródigo* denotam renovação e rejuvenescimento, recomeço e beleza. A *sombra* cede, imediatamente, lugar ao entendimento, favorecendo o sentimento de igualdade em relação às demais pessoas, sem a presença de qualquer conflito perturbador.

Os andrajosos físicos também, quase sempre se encontram descuidados psicologicamente, atirados ao fosso do descaso, da indiferença, desejando não ser notados, excluídos que se fazem por conta própria do meio social. Morrendo, desejam desaparecer, não deixar vestígio.

O *Pai misericordioso* sabia que o seu filho necessitava de roupas novas, de identificação pessoal com as demais pessoas. Não era um réprobo de retorno, um fugitivo que estava sendo recebido, mas o filho que fora na busca de si mesmo e não conseguira o êxito. Tornava-se necessário

Em busca da verdade

que estivesse com a veste própria para a festa que logo mais se faria em sua homenagem, de maneira que se não sentisse inferiorizado.

A festa é sempre a maneira de celebrar-se o retorno dos triunfantes, mas naquele caso todos celebrariam o valor do pai, a segurança do lar, a vitória do bom senso e da realidade distante da ilusão.

O amor é luz que se espraia em todos os sentidos, a tudo envolvendo na mesma claridade, sem excesso no epicentro nem diminuição a distância.

Os dois filhos, para o pai, eram as estrelas da velhice, assim como as aspirações de nobreza que todos devem possuir e manter em desenvolvimento contínuo rumando para o logro da *individuação*.

O *filho pródigo* não apenas foi recebido, mas também abraçado pelo *Pai*.

Há muitas maneiras de receber-se quem chega de viagem. Naquele caso, somente havia júbilo, porque há mais alegria quando *se encontra a ovelha perdida*, conforme acentuou Jesus.

Nas lutas de sublimação dos valores egoicos, que se devem transformar em claridades no imo do ser, há um abraço paternal da saúde real em relação aos múltiplos distúrbios da jornada evolutiva.

Esse abraço expande-se, albergando, também, o outro filho, o insatisfeito, que pode ser também o *Eu demônio* da fissão da psique.

Trabalhar pela fusão desses antagônicos *Eus* constitui o desafio psicológico da busca do estado *numinoso*, no qual não há espaço para *sombra* alguma, suspeita injustificável, aceitação de tormento ou de conflito.

O processo da *volta para casa* após a jornada pelo *país longínquo* é feito de experiências libertadoras, de crescimento e amadurecimento *emocional*, de superação dos tormentos infantis que permanecem dominadores na personalidade, de identificação com a realidade desafiadora que deve ser vivida com entusiasmo.

O filho é uma experiência juvenil, pois que avança para tornar-se pai, no processo natural da perpetuação da espécie.

A longa experiência da filiação irá oferecer-lhe madureza para a paternidade responsável, sem os descaminhos das emoções exacerbadas.

No inconsciente individual, quando alguém se recusa ao autoconhecimento, provavelmente está negando-se à futura paternidade/maternidade, que a vida impõe, seja sob o aspecto biológico ou afetivo.

Não apenas é genitor aquele que reproduz, mas também quem ensina, quem educa, quem se responsabiliza e guia, numa pater-maternidade espiritual de longo significado, que muitas vezes se torna mais representativa do que a biológica. Essa última é automática, impositivo da união sexual, enquanto a outra é optativa, espontânea, idealista, libertadora.

Quem se isola na tristeza, negando-se a claridade da alegria e a música do júbilo, encarcera-se na soledade, sem reproduzir-se em afeto ou em dedicação, podendo ser considerado, conforme a Parábola da Figueira que Secou, muito simbólica em relação às vidas ressequidas, não produtivas, que se tornam inúteis, muitas vezes pesando na economia da sociedade, sem esforço para tornar-se contribuinte, optando por dependência, a doentia dependência infantil.

Em busca da verdade

Cada período existencial apresenta-se como ensejo de alcançar-se a próxima etapa, mais amadurecido, mais lúcido.

É o que anela o *Pai amoroso* da parábola. Aqueles filhos seriam pais um dia e era necessário que compreendessem, desde cedo, que o afeto não tem limite, seja qual for a circunstância que se apresente. Quando exige, toda vez que se impõe, torna-se capricho emocional em vez de alimento da vida.

Esse crescimento na direção da paternidade/maternidade independe de cultura, de posição social, de recursos financeiros, por tratar-se de amadurecimento interior, de reflexões profundas que se derivam das experiências existenciais nas mais diferentes expressões da reencarnação.

A culpa do *filho pródigo* cedeu lugar à confiança do amor do pai, de tal forma que não teve pejo em desculpar--se, em expor-se, em apresentar-se desnutrido, descalçado, malvestido, em situação deplorável, porém, vivo e confiante.

Não ouviu do *Pai generoso* as expressões usuais do perdão, ao lado da repreensão, do acolhimento, mas também da queixa pelo tempo que foi malbaratado, ao lado da fortuna que foi desperdiçada. Encontrou abrigo e compreensão, oportunidade renovadora, como se nem sequer houvesse ido ao *país longínquo*, porque jamais se afastara do seu coração bondoso.

Esse é o mais elevado troféu do sentimento de paternidade, de dever humano e social, de construção da vida em todas as suas expressões.

Quando se deseja paz mediante lutas, alegria entre vexames e queixas, somente brumas e sombras surgem empanando o Sol da vida.

A volta para casa é inevitável, porque todos retornarão ao *país longínquo-próximo* da Espiritualidade de onde se veio para a experiência de crescimento e de desenvolvimento do *deus interno*.

Transgrida-se ou não o compromisso de respeitar os tesouros de que se dispõe, a volta é inevitável, porque essa é a finalidade existencial do processo imortalista.

O ser humano é *construído* para a plenitude do *Self*, após as inevitáveis experiências de ida e de *volta para casa*.

AMAR PARA SER FELIZ

A Parábola do Filho Pródigo faz parte da trilogia narrada por Jesus, em resposta ao farisaísmo hipócrita e perseguidor.

Era-Lhe hábito conviver com os *pecadores e os publicanos*, que se sentiam atraídos pelos Seus ensinamentos libertadores.

Os doentes do corpo buscavam a cura que lhes restaurasse a saúde.

Os seus enganos eram tidos como graves compromissos pela intolerância religiosa e social da sociedade castradora e perversa. A *sombra* coletiva pairava sobre Israel e os seus servidores mais credenciados, os fariseus, os levitas, os escribas, os sacerdotes, viviam da aparência enganosa.

Mantinham a preocupação de atender aos 613 preceitos que diziam respeito ao corpo e à sociedade, embora interiormente se encontrassem deteriorados pela morte do sentimento e pela presunção de coisa nenhuma.

Em busca da verdade

Os seus conflitos eram mascarados porque lhes importavam os falsos prestígios e distinções, os comentários bajulatórios e a extravagância da aparência, quanto possível impecável, embora apodrecendo de inveja, de insatisfação, enfermos em espírito, com mais dificuldade para a recuperação.

Nas parábolas psicoterapêuticas narradas por Jesus, percebe-se que os Seus inimigos não censuravam a conduta daqueles que foram excluídos da vida social, por serem pecadores e cobradores de impostos sempre detestados, mas a do Mestre em conviver com eles. Olvidavam-se de que era natural que o Homem Integral, Aquele que não tinha *sombra* nem qualquer tipo de conflito acercasse-se dos *impuros*, a fim de os recuperar, de os integrar na vida.

Haviam-se esquecido, por conveniência e pela perversidade em que se compraziam, da grandeza do amor, da poderosa proposta libertadora de que se reveste, do significado profundo de que é portador.

Por isso, pode-se considerar que as três *parábolas dos perdidos*, a do homem que deixa o rebanho para buscar a ovelha que se *perdeu*, a da mulher que *perdeu uma dracma* e a do *filho pródigo*, que se *perdeu*, podem ser consideradas como as do encontro e do autoencontro.

Sob outro aspecto, pode-se denominá-las como as mensagens de júbilos e de misericórdias, porque todos, ao encontrarem o que haviam perdido, ao autoencontrar-se exultavam, convidando toda gente, servos e amigos, para que se banqueteassem, para que sorrissem, para que se rejubilassem com os resultados felizes.

A saúde é jovial e enriquecedora de alegria, promovendo a tranquilidade e ampliando a capacidade de amar.

O *pai misericordioso* em todos os momentos da narrativa profunda ama tanto aquele que foge em busca da autorrealização e fracassa quanto o outro, que fica ao lado, vivendo emocionalmente distante do carinho e do sentimento de ternura para com o genitor.

Em momento algum demonstra afeto, porque está morto na sua conduta formal, pusilânime, que aparenta fidelidade, mas é apenas interesseiro, porquanto não se refere àquele que retorna humilhado e destroçado interiormente como seu irmão. Usa de uma expressão dura para com o pai e ferinte para com o sofrido, dizendo: – *Esse teu filho aí...*

Havia um proposital desprezo, um ciúme doentio e um indescritível sentimento de vingança. O irmão era visto agora como competidor, que estava reabilitado, que voltava a ter direito aos haveres do pai, que iria disputar com ele a herança...

O pai, no entanto, redargui com paciência amorosa, sem lhe censurar a conduta e o ressentimento: – *Filho (menino), tu estás sempre comigo, e tudo o que é meu é teu.*

O *Self* do pai sabia a razão do despeito do *ego* do filho mais velho e procurou tranquilizá-lo, sem o conseguir de imediato. Então aduziu: – *Mas era preciso que festejássemos e nos alegrássemos, pois esse teu irmão estava morto e tornou a viver; ele estava perdido e foi encontrado!*

Somente um sentimento de amor profundo e desinteressado poderia concluir de tal maneira, na análise do comportamento do *filho que retornou*, ao mesmo tempo, demonstrando o significado da alegria.

O amor do pai é automático em expressar-se, em oferecer-se em júbilo.

Em busca da verdade

Ao *ver o filho de longe* correu *e encheu-se de compaixão, lançou-se-lhe ao pescoço, cobrindo-o de beijos.*

Esse beijo na face é incontestável sinal de perdão e de compaixão, de renascimento e de vida. Não deu tempo ao filho ingrato de justificar-se, demonstrando-lhe que estava novamente no seu lar.

Somente então o desertor confessou que pecou contra ele e contra o céu, não sendo mais digno de ser considerado filho.

Esperava ser tratado como empregado, porque a culpa estava nele insculpida, em face da deserção, do desinteresse pelo pai idoso, quando mais necessitava de apoio e de segurança.

O amor é, sem dúvida, a terapia eficiente para os males que afligem os indivíduos em particular e a sociedade em geral, porque desperta a reciprocidade, arrancando do esconderijo do egoísmo esse sentimento que é inato, mas necessita de estímulo, de ser despertado, de ser trabalhado, de ser aceito.

O filho mais velho ficara com os sentimentos ressequidos, entregando-se ao trabalho rotineiro e não compensador de amealhar, não para o pai, na expectativa da herança, portanto, para ele mesmo. Por consequência, não sentia a manifestação do amor de maneira alguma, o que o tornava doente emocionalmente, mesquinho e distante.

Negando-se a *entrar em casa e rejubilar-se*, mantinha-se preso ao instinto de conservação dos sentimentos doentios, não dando oportunidade ao *Self* de desenvolver-se, mantendo-se distante e cerrado.

É necessário entrar-se na casa dos sentimentos e renová-los com a alegria, com a satisfação pela felicidade dos demais. É comum chorar-se com quem chora, poucas vezes, porém, sorrir-se com os júbilos dos outros, porque a inveja, filha dileta do egoísmo, não se permite compreender a vitória, a real alegria do outro...

Provavelmente, na sua solidão, o filho mais velho ambicionasse adquirir independência após a morte do pai, atrair amigos e afetos, pensando que somente o poder e o ter conseguem companhia e participação nos júbilos. Interiormente, prosseguiria ressequido, desejando ser amado, levado em consideração, desfrutando o destaque, superando o complexo de inferioridade em que se debatia por depender do pai sem o amar...

Não se encontra a felicidade fora do amor, que é o elã sublime de ligação entre todas as forças vivas da Natureza, é o alimento das almas, fortalecimento da psique, é vida e força espiritual.

Enquanto não viger o amor natural, o ser humano rumará *perdido* num *país longínquo*, gastando haveres que transitam de mãos e sempre deixam solitário aquele que deseja a multidão de presenças exteriores, igualmente vazias de companheirismo.

Quem almeja o encontro, mesmo que inconsciente do *Self*, deve perceber que somente através de um mergulho interior, na reflexão silenciosa, é possível descobrir e dominar os tesouros adormecidos, trazendo-os para a ponte que facilitará a comunicação entre os dois *Eus*, realizando a identificação do *ego* com os valores legítimos da vida.

As heranças ancestrais de precaver-se para sobreviver, de agredir antes de ser atacado, de manter-se na retaguarda são todas deploráveis experiências que perturbam a saúde emocional e psíquica dos indivíduos.

Em busca da verdade

Abrindo-se ao amor, cada um descobre que qualquer tipo de fuga é perturbador, enquanto que todo avanço na direção do serviço fraternal, da solidariedade, do amor constitui próximo encontro com a saúde.

Por outro lado, o estado de semianiquilamento físico e moral do *filho mais moço* demonstra que toda fantasia em torno da vida constitui perigo, e a entrega ao prazer desmedido se transforma em frustração, em desgaste e culpa.

A autoconsciência é o elemento que deve ser buscado sempre e de forma lúcida, a fim de poder eleger-se o que se deve fazer e se pode realizar, em detrimento daquilo que se pode, mas não se deve, ou se deve, mas não se pode executar.

Aquele *filho mais velho* possuía a religião formal, aquela aparência social, mas ainda não encontrara o sentido existencial, o significado do amor em toda a sua plenitude e na mais variada expressão.

Na censura que faz, esse *filho mais velho* esquece-se da justiça, pensando em ser justo, pelo menos para com ele mesmo, porque acredita ser o único merecedor de todas as homenagens. Assim procedem todos os egoístas.

Olvida-se que os haveres são do pai, e que, mesmo idoso, enquanto viva, tem o direito de reparti-los, de utilizá-los conforme lhe aprouver, pois que foram os seus braços que deram início ao patrimônio, foram a sua administração e a constância no trabalho que mantiveram os recursos agora disputados tenazmente pelo infiel que se dizia fiel...

A sociedade ainda vive de maneira farisaica, sempre censurando os pecadores e os cobradores de impostos, requerendo cada membro mais atenção e cuidado, no inconsciente com inveja dos prazeres que esses experimentam e eles não se encorajavam a vivenciar, em face dos preconceitos vigentes...

Não seja de estranhar que alguém seja censurado por uma atitude, veementemente combatido porque quebrou algum tabu social, não porque se permitiu a leviandade, mas porque o seu censor gostaria de estar no seu lugar e não tem as forças para fazê-lo, vindo, no entanto, mais tarde, a viver de maneira equivalente, demonstrando o conflito em que vivia, a exulceração oculta superficialmente, mas igualmente pútrida.

Provavelmente, esse *filho mais velho* via o pai como um fornecedor dos haveres de que desfrutaria no futuro, não como o pai generoso e amigo que também participa da vida, das suas alegrias, das suas tristezas, embora traga o coração angustiado pela saudade do *filho perdido*...

O amor abarca o mundo, e por mais se divida, jamais diminui de intensidade, conseguindo multiplicar-se e ampliar-se ao infinito.

Somente no amor está a felicidade, porque nele se haure vida *e vida em abundância*, facultando o encontro com a consciência de si, o autoencontro com o *Self*.

4
Experiências de iluminação

Perder-se e achar-se • Sair de si-mesmo • Rejubilar-se

A existência terrena é uma experiência de aprendizagem valiosa, através da qual o *Self*, em sua essência superior, penetra nos arquivos grandiosos do inconsciente coletivo e individual, para bem o assimilar, ampliando a sua capacidade de discernimento e de conquistas libertadoras.

Desalgema-se, em consequência, das injunções do passado, porque as compreende, elucidando os enigmas que lhe permanecem em latência, não mais gerando conflitos psicológicos, e abre-se à Essência Divina, o *Arquétipo primordial*, logrando a plenitude do *numinoso*.

Nessa conquista, a *individuação* torna-se-lhe plena e enriquecedora, tornando-se um verdadeiro *Reino dos Céus*, porque sem aflição nem qualquer inquietação.

Cada experiência no carreiro orgânico faculta-lhe conquistar mais conhecimentos e melhor capacidade para desenvolver os sentimentos, aumentando a habilidade para entender-se, para compreender as demais criaturas e amar-se, amando-as.

Não fossem tais oportunidades, e não haveria como compreender-se as diferenças psicológicas, intelectivas, morais, orgânicas, econômicas, de saúde, que caracterizam a mole humana.

Reduzindo-se o ser a uma única existência corporal, ei-lo fadado a carregar o peso do acaso feliz ou desventurado, impondo-lhe um destino que não tem direito nem recurso para modificar, submetendo-se, inerme, às injunções desgovernadoras da fátua ocorrência.

Através das reencarnações, no entanto, o livre-arbítrio faculta-lhe a eleição do bem ou do mal sofrer, da alegria ou da tristeza, da desgraça ou da ventura, porquanto a única fatalidade que existe, melhor dizendo, o determinismo que se lhe impõe é a plenitude, que cada qual adquire conforme o empenho e a luta a que se consagre.

Assim sendo, a aprendizagem do bem viver, do desfrutar da saúde integral é feita mediante erros e acertos, como tudo quanto diz respeito à existência em qualquer forma através da qual se expresse.

O equívoco de agora enseja-lhe reparação posterior, o acerto de um momento abre-lhe espaço para novas conquistas, impulsionando-o irremediavelmente para a harmonia consigo mesmo e com o Cosmo.

A viagem evolutiva, embora seja individual, impõe relacionamentos valiosos que contribuem para resultados amplos e benéficos, favorecendo toda a sociedade com os recursos para que vicejem condições gerais de equilíbrio entre todos, e, por consequência, de paz e de bem-estar.

Em busca da verdade

Ninguém pode esperar por felicidade a sós, porquanto, a própria solidão constitui um transtorno grave de conduta, empurrando o indivíduo para a alienação.

A existência terrena tem uma finalidade primordial e impostergável, que é a unificação do *ego* com o inconsciente, no qual se encontram adormecidos todos os valores jamais experienciados e capazes de produzir a *individuação*.

Integrar-se no *Arquétipo primordial,* sem a perda da própria consciência, da sua individualidade, é o objetivo da vida humana, após vencidas as diferentes etapas orgânicas e psicológicas da sua evolução.

A força geratriz para essa conquista é o *Self* totalmente libertado da *sombra* e dos conflitos contínuos entre a *anima-us.*[1]

Os relacionamentos desenvolvem a capacidade de crescimento e de compreensão do sentido existencial, assim como da necessidade de alcançar-se os objetivos anelados.

Nesse esforço, o *ego* escravizado às paixões vê-se compelido à libertação, à aliança com as demais pessoas, reconhecendo os próprios limites enquanto alcança outros níveis de entendimento e de conduta.

No início do tentame, quando escasseia a maturidade psicológica, antes da *expulsão do paraíso*, o *ego* toma todo o espaço do *Self,* como se estivessem ambos no *Jardim do Éden*, sem separação, sem diálogo, sem consciência.

À medida, porém, que vem a *expulsão do paraíso*, adquire-se o equilíbrio da consciência, quando o *ego* se libera, embora ainda ocupando uma grande área no *Self.*

---

[1] Utilizar-nos-emos, em tempo, da expressão *anima-us* para significar a *anima* e o *animus* (nota da autora espiritual).

Por fim, *ego* e *Self* em um eixo de harmonia faz-se quase consciente, facultando a presença de Deus no imo, o retorno ao *Arquétipo primordial*.

Jesus sabia dessa ocorrência, e, por essa razão, misturou-se às massas desesperadas, imaturas psicologicamente, sofridas, compartilhou Suas lições com todos, envolveu-se nos dramas do dia a dia, experienciou as dificuldades do trabalho manual, exemplificando que a luta é o clima de crescimento do ser humano, e os grandes inimigos estão no seu mundo interior e jamais no externo, convidando à saída do epicentro do *Self* para a aquisição da consciência.

Aqueles que se apresentam como adversários de fora nada podem fazer, realmente, de prejudicial, a quem é livre internamente, a quem venceu os impulsos e superou as tendências agressivas. No entanto, encontrando-se preso aos interesses mesquinhos da superficialidade, rivaliza com esses que se lhe tornam inimigos, porque facilmente se fazem também inimigos.

O máximo que pode realizar o adversário é criar embaraços na marcha do progresso da vítima, atentar contra os seus valores ou até mesmo contra a sua vida física. Não consegue ir além disso, porque não lhe atingirá a realidade de ser imortal que é, portanto, invencível, desde que não se deixe dominar pelas veleidades, pelas paixões do primarismo animal por onde transitou.

A grande viagem, iniciada com a *expulsão do paraíso*, vai ensejar o conhecimento das possibilidades de vitória nas renhidas lutas, novo *Adão* que é obrigado ao trabalho com suor, com renúncia e esforço, a fim de autodescobrir-se e conseguir o diálogo entre o ser que aparenta e o ser que é – Espírito indestrutível!

Em busca da verdade

A criança que existe em todos inevitavelmente cresce e desenvolve a capacidade de entendimento, a necessidade de libertação, a busca do *Si-mesmo*, a aventura que lhe dá experiência, a fim de realizar, mais tarde, a *volta para casa*.

Ocorre, então, a primeira mudança na psique coletiva, porque sucedeu a mudança individual, o crescimento do ser, a alteração do inconsciente, avançando para Deus, com a inevitável modificação das construções do mundo psíquico.

Nesse retorno, não existe a culpa, mas a consciência, pois que ambas surgiram ao mesmo tempo, desde que *Adão e Eva foram expulsos do paraíso*, saíram da ignorância de *si-mesmos* para os enfrentamentos.

Após o *mito da desobediência*, ambos dão-se conta das diferenças anatômicas e escondem-se, envergonhados, em face da libido que surge – a malícia – e fogem também de Deus, ocultando-se, mas nunca do deus interno que os acompanhará em todos os transes e trânsitos, descobrindo os opostos, sentindo as necessidades. A criança, que neles existia, cede lugar aos adultos, aos seres formados para a procriação, para o desenvolvimento, não mais para a *inocência*, a ignorância permanente da sua realidade.

A psique amadurece, amplia o seu raio de entendimento e de ação, engrandece-se, faculta a fissão dos *Eus*, de modo que o *ego* se espraie, que surjam a *sombra*, os *anima-us*, que se conquistem os espaços naturais, de maneira a criar o diálogo, a interação do eixo perfeito entre ele e o *Self*.

Essa *viagem para a casa paterna* já não tem retorno.

PERDER-SE E ACHAR-SE

O *herói* adormecido deve seguir adiante, procurar a própria identidade, sair da proteção do *pai misericordioso*, a fim de viver as próprias experiências. Talvez não seja necessária a forma como o *filho pródigo* tomou a decisão, mas uma escolha decorrente da própria maturidade.

Quando se rompem os primeiros laços entre o filho e a mãe, a criança começa a dizer não. A sua personalidade se vai formando, nasce a sua identidade que necessita de independência para o amadurecimento, para o enfrentamento dos próprios desafios.

O vínculo com o *pai*, especialmente no sexo masculino, pode durar por muito tempo como submissão, medo, interesse pela herança, falta de iniciativa para as próprias necessidades que têm sido supridas sem qualquer esforço de sua parte. Transferindo sempre a responsabilidade dos seus atos ao *pai*, o filho não cresce psicologicamente, mantendo uma forma de *paraíso* infantil, onde se sente bem, embora não realizado.

A experiência libertadora é essencial ao crescimento interior e pessoal, podendo ser realizada, no entanto, sem traumas, sem culpas, sem danos.

Não poucas vezes, nessa fantástica aventura da autoidentificação ocorre o perder-se, a fim de mais tarde achar-se.

A *sombra* em forma do *Eu-demônio* apressa-se para que aconteça a ruptura, enquanto o *Eu-angélico* aturde-se e introjeta a culpa, que ressumará do inconsciente quando o indivíduo perceber-se perdido e sofrido.

Em busca da verdade

Normalmente ocorrem desenvolvimentos espontâneos e superiores na psique, quando se atinge a idade adulta, no entanto, nela existem fatores de *compressão* e de *regressão*, que se fazem vigorosos, demonstrando o erro em que se incidiu, abrindo espaço para as reflexões mais sérias destituídas do *ego*, facultando a corrigenda do erro, sem a perda das qualidades morais adquiridas. Antes, pelo contrário, graças a esses valores de enriquecimento interior, que ajudam no discernimento, que proporcionam o crescimento e contribuem com as forças necessárias para a reabilitação.

O ser amadurecido pela dor redescobre que tem um *pai misericordioso*, que nem sequer o censurou quando ele partiu ou dificultou a sua viagem, mas que, com certeza, o espera na sua afeição não ultrajada.

Essa conquista da consciência do *si-mesmo* é a chave mágica para a decisão de *voltar para casa*, de retornar às experiências de identificação com a vida. Já não se trata de uma volta à *inocência*, agora transformada em conhecimentos diversos, em sofrimentos dignificadores, em discernimento entre *raga* (a paixão, a ilusão) e a realidade.

Não bastam ser trabalhados o *ego* e a *persona*, fortalecidos e construídos muitas vezes pelas experiências existenciais, mas sobretudo o *Self* consciente. Quando se atinge a meia-idade essa reflexão faz-se inevitavelmente. No entanto, o mesmo fenômeno ocorre, também, na juventude, após alguns traumas e frustrações, desencantos e dissabores ante a realidade da vida.

Foi o que pensou e executou o *filho pródigo*, no inferno em que se encontrava. Ele sabia onde estava o paraíso, e o de que necessitava era o estímulo que se lhe apresentou como fome e humilhação, com a consequente possibilidade de morte.

Havendo perdido a própria identidade, todos os valores que lhe constituíam a raça, suas heranças, seus prejuízos e suas conquistas, ao trabalhar com porcos – animais imundos na sua crença – em servir a um *pagão, pecando* contra a fé religiosa – o seu Deus – a mais vergonhosa derrota havia sido essa, de natureza moral, cujos fatores de perturbação se lhe acrescentaram como desonra, descrédito, abandono, miséria física e econômica, defluentes daquela de natureza espiritual.

No processo de aquisição da consciência, por desconhecimento da realidade, por presunção e fatuidade, muitos perdem-se e transitam imaturos no prazer, desperdiçando a juventude e os tesouros que lhe são pertinentes até o momento em que surge *uma seca*, faltam as energias para o prosseguimento e o indivíduo *cai em si*, avaliando tudo quanto tinha e de que não mais dispõe, sabendo que, na terra *longínqua* onde vivia, tudo está em abundância.

Já não mais aspira à reconquista do que perdeu, porquanto há recursos que não retornam: energia, juventude, pureza de sentimentos, mas há outros que podem ser restaurados: dignidade, trabalho, renovação, novos logros.

No caso em tela, servia ao *filho pródigo* um lugar entre os trabalhadores, mas ele foi restaurado pelo pai que o reabilitou, que o vestiu e calçou com nobreza, que lhe pôs o anel de distinção e de união.

Tudo isto porque *ele estava perdido e foi encontrado*, estava *morto e vivia*.

Podemos considerar esse fato, igualmente como o do amor de Deus, em relação às suas criaturas, Seus filhos

Em busca da verdade

rebeldes que Lhe abandonam a *casa paterna* e fogem para o *país longínquo* da loucura e da ingratidão, entregando-se à ilusão com total olvido da sua origem divina, dissipando as forças elevadas que lhe são concedidas para o desenvolvimento espiritual, moral e intelectual, entregando-se ao servilismo com os *animais imundos* – as paixões primitivas – disputando *as bolotas* – insistindo no primarismo ancestral – porque está *perdido*, mas com possibilidades de autoencontrar-se.

Fazendo parte da trilogia dos perdidos – a *ovelha*, a *dracma* e o *filho pródigo* –, essa parábola também é membro da tríade do encontro, da esperança, da misericórdia, do júbilo.

Achar-se é muito mais importante do que achar.

Acham-se coisas, animais e pessoas perdidos, no entanto, achar-se, quando se está perdido em si mesmo e não no espaço-tempo, é de relevância psicológica, de verdadeira cura, de reabilitação, de autoencontro, de amadurecimento para o estado *numinoso*.

Torna-se necessária, nesse momento, a *imago Dei* na consciência como parâmetro para sair-se do *ego* extravagante e ditador, recordando-se do *pai misericordioso* que sempre aguarda e que, reencontrando o que estava perdido, rejubila-se, propõe e executa uma festa, mantendo a união que fora arrebentada quando o irresponsável fugiu para longe...

A *persona* está sempre mudando no processo existencial porque resulta das aquisições psicológicas e morais, embora o *ego* se demore na sua dominação, adquirindo recursos para interagir com as novas conquistas. Durante os períodos de mudanças biológicas, conforme referido anteriormente, essas mudanças sucedem-se com naturalidade, atingindo o clímax na fase adulta – velhice –, quando o período é saudável.

Experiencia-se, na Terra atual, não mais o ciclo das *culturas da vergonha e da culpa*, mas o do narcisismo, do exibicionismo, da falta de censo e de pudor, da extravagância, do poder...

Apesar disso, a psique mantém a herança da culpa e da vergonha no inconsciente individual e mesmo quando anestesiada por circunstâncias e ocorrências casuais, locais, sociológicas, são sempre de breve período de duração, porque ressumam e se expressam de maneira patológica com transtornos de comportamento e síndromes de enfermidades defluentes de somatização.

É compreensível que o *necessário sair de casa* para tornar-se *herói* não deva passar obrigatoriamente pelo insucesso, a depender, portanto, da maneira elegida para essa experiência.

Achar-se é uma necessidade do *si-mesmo* para desfrutar da alegria de viver, não sucumbindo em distúrbios de conduta, sempre lamentáveis e dolorosos.

Quando se pensa que o Cosmo *possui* um sistema de natureza moral, organizador, descobre-se alegremente que a vida oferece processos evolutivos que impulsionam ao engrandecimento pessoal e à plenitude ou *individuação*.

Pode-se alcançar esse crescimento sem que se passe compulsoriamente pelo insucesso do *ego*, pelas incertezas do *Self,* realizando-se a viagem de *volta a casa*, em clima de alegria.

Jesus concebeu e expôs a Parábola do Filho Pródigo, assim como as duas outras, sobre os perdidos, para

Em busca da verdade

demonstrar que Ele viera para esses sofredores e desorientados, que Ele encontraria e reconduziria às suas origens, na doce expressão do *pai misericordioso*, o que conseguiu com êxito retumbante, demonstrando, sub-repticiamente, aos seus antagonistas que, de alguma forma, eles estavam perdidos, mas que também estavam sendo encontrados, tendo a chance de retornar à *casa paterna*...

O desafio de Jesus prossegue na atualidade com as mesmas características, representadas no Seu chamamento à consciência de felicidade, naturalmente para aqueles que a perderam ou não a tiveram, ante o crivo dos novos fariseus presunçosos e enganados em relação à vida e ao seu determinismo.

São, por enquanto, *filhos pródigos* saindo da *casa paterna* para desfrutar as heranças divinas no *país longínquo*.

Sair de si-mesmo

Para que o *si-mesmo* possa expressar-se com segurança, especialmente na parábola em análise, torna-se indispensável a integração da *persona* com a *sombra*.

Jung considerou a *persona* e a *sombra* como classicamente opostos, encontrando-se no *ego* a expressar-se, numa visão total da psique, como *polaridades*.

Trata-se de uma aceitação consciente do *si-mesmo*, compreendendo o seu lado *sombra* e as suas dificuldades em lidar com ele. Devem-se considerar as ocorrências negativas e perturbadoras como naturais, sem os constrangimentos nem a vergonha das manifestações pessoais que são tidas por perversas, demoníacas.

Como esse lado não está de acordo com a *persona*, a aparência que se mantém, surgem os problemas interiores, os conflitos que devem ser evitados, tendo-se em vista que esse aparente mal, desde que não prejudique a outrem, é também responsável por muitos acontecimentos bons, por momentos de bem-estar e de alegria.

Estar-se aberto às diversas manifestações existenciais, sem repugnância pelo chamado lado mau, pela exteriorização do *Eu-demônio*, sobrepondo, sem violência nem conflito, o *Eu-angélico*, proporciona uma *pré-individuação*, porque nessa luta de opositores surge uma terceira coisa, que é a conquista do estado *numinoso*.

Normalmente os conteúdos da *sombra* são contestados pela *persona* (o irmão mais novo e o irmão mais velho da parábola em estudos), que também podem encontrar-se no mesmo indivíduo, quando esse sofre a repulsa de si mesmo e o desejo de elevar-se, ocorrendo inevitáveis conflitos de comportamento.

Jung propõe um novo símbolo que sempre trará algo de ambos, que é o esforço para a integração daqueles conteúdos, numa diferente e renovada concepção de mundo, como decorrência da transformação do *ego*.

O filho mais moço da parábola sentia que o seu irmão *mais velho* não o aceitaria e, malgrado essa percepção antecipada, gerou o movimento do retorno, porque naquele momento a sua visão qualitativa do mundo era diferente, assim valorizando o *lado bom* deste mundo e considerando o seu esforço de arrependimento voltando *para casa*.

Quando se foi para o *país longínquo*, estava buscando o *si-mesmo*, embora saindo; quando retornou, descobriu-se caindo em *si-mesmo*.

Em busca da verdade

Muitas das atividades humanas e ocorrências psicológicas são o resultado dessa saída sem a perspectiva, pelo menos racional, da volta, o que se transforma numa atitude de definição e de responsabilidade pelo que possa acontecer no futuro.

À medida, porém, que a *persona* se fortalece, ampliando a capacidade de compreensão e de identificação, torna-se maleável, submete-se às necessárias mudanças, conseguindo a integração com a *sombra*, fundindo os dois *Eus*.

Há, entretanto, indivíduos com uma tal carga de energia da *sombra* que não conseguem a aceitação dos seus erros pela *persona*, tornando-se uma questão patológica necessitada de terapia especializada.

Essa conduta antinômica é resultado dos instintos ainda dominantes na psique, herança poderosa da *natureza animal* do ser em relação à sua *natureza espiritual*, à sua origem no *Uno*.

As experiências das reencarnações, privilegiando em uma etapa os valores intelectuais, noutra aqueles de natureza moral, em diversas ocasiões o desenvolvimento das tendências artísticas e culturais, os labores científicos e filosóficos, as místicas religiosas com todas as suas cargas simbólicas e mitológicas, havendo gerado o peso dos conflitos, a descoberta do bem e do mal, a *perda do paraíso*, ensejam o predomínio de um arquétipo sobre o outro. Em determinado período mais primitivo da evolução, é a *sombra*, mais tarde é a presença marcante da *persona*, em diferentes oportunidades o *anima-us*, por muito tempo o *ego* até o momento da estruturação complexa do *Self*, na sua amplitude que se espraia além dos limites do indivíduo.

Por sua vez, o *pai amoroso* saiu de si mesmo para receber o *filho perdido* e o acolheu no coração, que jamais deixara de o amar, pois que nunca o expulsara dos seus sentimentos, quando constatando que o outro filho, o *mais velho,* se recusava *a entrar em casa* e fora tomado pela revolta, assim como a ira, filhas diletas da *sombra,* novamente saiu de *si-mesmo* e foi em sua busca, por constatar que estava *perdido* também, necessitando de ser encontrado.

No processo da evolução do Espírito, faz-se necessário, muitas vezes, sair-se de *si-mesmo,* para alcançar-se a meta a que se propõe, porque há situações difíceis de conflitos psicológicos em torno, que necessitam da presença do *ser divino* que se possui no imo.

Jesus assim o fez inúmeras vezes, pois que Ele veio para as ovelhas desgarradas, sacrificou a Sua vida para resgatá-las da perdição, confundiu-se com a *sombra* individual de cada qual e a coletiva de Israel, de Jerusalém assassina, que matava os profetas a fim de manter a sua corrupção, aguardando um vingador para esmagar aqueles que lhe dominavam o povo, olvidando-se que a pior escravatura é a que procede dos instintos, dos arquétipos inferiores do *Self* em formação e desenvolvimento.

Sair de *si-mesmo* é fruir por antecipação o retorno que se dará com a conquista realizada, quanto sucedeu com Jesus, crucificado, mas livre, indesejado, no entanto, triunfante, porque conseguira atingir o estágio mais alto da psique: a vitória sobre os impositivos existenciais, embora já fosse *perfeito como o Pai Celestial é perfeito.*

Considerando-se as parábolas da esperança, da consolação, dos júbilos, dos perdidos, pode-se ver Jesus na condição de *filho pródigo* do Amor.

Em busca da verdade

Afastou-se do Reino com os Seus inestimáveis bens e veio ao terreno *país longínquo*, para *desperdiçar* os Seus tesouros com as meretrizes e ladrões, os de má vida, que se Lhe tornaram *más companhias*, sem permitir-se contaminar com as suas misérias. E porque eram incontáveis esses necessitados, Ele entregou tudo quanto possuía e, repentinamente, viu que se abatera sobre o *país* a *fome* de amor e de misericórdia, de compaixão e de solidariedade, resolvendo-se por entregar-se *in totum*, a partir do momentoso *Sermão da montanha*...

Apesar dessa doação máxima de amor, foi desprezado pelos habitantes soberbos e ingratos desse *país*, os prepotentes e dominadores, ficando com a ralé, simbolicamente representando os suínos, como era quase considerada, não aceita e espezinhada, optando pela cruz do sacrifício de afeto jamais ocorrido na Terra, voltando, porém, rico de bênçãos ao *Pai Misericordioso*, que O recebeu em júbilo, permitindo que Ele ficasse ainda, por mais tempo, num e noutro lugar, acenando com a imortalidade gloriosa.

No estado *numinoso,* Ele tentou dissipar a *sombra* individual, que espera pelo esforço do *Self* de cada qual, iniciando-se, então, esse processo de unificação com a *persona* através dos dois milênios, a partir do momento em que se inicie a terapia *psicotrópica* da renovação interior, proporcionando aos neurocomunicadores a produção das monoaminas restauradoras da saúde psicológica e da moral através da vivência dos Seus incomparáveis enunciados psicoterapêuticos.

Herdeiro de si mesmo, o ser humano é a soma das suas experiências, que desenvolvem os valores para a própria evolução. O que lhe constitui desafio em uma etapa

Joanna de Ângelis / Divaldo Franco

desse crescimento, noutra se lhe torna mais acessível, dando lugar ao surgimento dos arquétipos muito bem examinados pelo eminente mestre de Zurique, Carl Gustav Jung.

Entende-se que a predominância da *sombra* ou do *anima-us* em indivíduos biologicamente portadores de polaridades orgânicas opostas, resulta das experiências malsucedidas e que, repetidas, lhes proporcionam o ensejo de ajustamento, de integração moral, qual ocorre com a *persona* na construção do *Self* iluminado, liberado das pesadas cargas dos conflitos ancestrais.

A conquista da saúde integral é, compreensivelmente, um desafio que está diante de cada qual, dependendo do seu esforço enfrentá-la desde logo ou postergá-la, quando complicada e perturbadora.

Graças às conquistas da Medicina nos seus mais diversos setores, e das doutrinas psicológicas iluminadas pelo Espiritismo, com o seu valioso contributo psicoterapêutico preventivo e curador, dispõe o ser humano destes dias de instrumentos valiosos para o logro da felicidade mesmo na Terra, embora o *Reino* não seja deste mundo, nele iniciando-se e prolongando-se pelo infinito dos tempos e dos espaços.

A Parábola do Filho Pródigo, assim como a da *dracma* e a da *ovelha perdida* constituem preciosas lições de autodescobrimento de todo aquele que deseja identificar a finalidade da jornada terrestre, o significado real da vilegiatura carnal, conseguindo superar o *vazio existencial* com objetivos dinâmicos e seguros em favor da sua completude emocional e espiritual.

Em busca da verdade

Resgatando as perdas, envolve-se em aquisições de relevante significação para a sua imortalidade, na qual, desde ontem, se encontra mergulhado.

Cumpre-lhe, por consequência, vigiar as subpersonalidades comprometidas com a *sombra*, expressões que, de alguma forma, dela se derivam, preservando o bom humor e evitando as suas alterações, que abrem espaço para a interferência dos Espíritos inferiores que pululam em toda parte, gerando alucinações e ressentimentos, portadores de enfermidades de várias etiologias, produzindo infelicidade e desar.

Sair de *si-mesmo*, de maneira objetiva, a fim de ajudar os que se encontram na retaguarda, é a imagem do *pai misericordioso* recebendo o *filho pródigo de volta a casa...*

Em assim sendo, a reencarnação é de valor inestimável, que não pode ser desconsiderada, nem postergados os ensejos de crescimento interior.

Procedente do ontem, o Espírito apresenta-se com o patrimônio amealhado, construindo o porvir que lhe está reservado. O seu esforço em favor da aquisição do estado *numinoso* deve constituir-lhe meta essencial na luta em que se empenha.

Essa conquista independe de qualquer façanha paranormal, seja anímica ou mediúnica, antes valendo pelo autoconhecimento e as transformações emocionais para melhor que possa conseguir.

A sua saúde psicológica e física, psíquica e moral, dependerá sobretudo desse empenho, desse entendimento da finalidade do corpo que o capacita para a plena libertação dos arquétipos tormentosos que ainda o mantêm em escravidão.

Vez que outra se sentirá impulsionado a *sair da casa paterna* e o fará, desde que, de maneira sábia, investindo os valores que lhe são concedidos no crescimento interno, onde quer que se encontre, antevendo a possibilidade de retornar em situação saudável, sem o desgaste nem a miséria assinalados no fracasso do *filho pródigo*.

Fracasso, porém, que o *pai misericordioso* transformou em lição de desenvolvimento moral, não lhe concedendo a posição de servo ou de escravo, mas de filho que o era, pois que perante Deus não existem filhos perdidos e cujos atos sejam irreparáveis.

Desse modo, a evolução do ser, sua felicidade e harmonia dependem exclusivamente dele mesmo, contando com a misericórdia e a bonança do amor sempre responsável pela concessão da plenitude.

Quando os indivíduos se aperceberem das vantagens do amor a si mesmo, de início, ao seu próximo como consequência, e, por fim, a Deus, tudo se lhe modificará durante o périplo orgânico, pois que esse tropismo superior alçá-lo-á ao estágio de *individuação*.

Rejubilar-se

O júbilo é defluente da conquista superior da saúde psicológica, por sua vez, da harmonia que deve viger entre o físico, o emocional e o psíquico.

O *pai generoso* rejubila-se com o filho de volta, não considerando a sua defecção, que é tida como uma leviandade da fase juvenil, exatamente daquele período de imaturidade e de incerteza, quando ainda existem as insegu-

Em busca da verdade

ranças da infância e as perspectivas da idade adulta, sem a definição da personalidade.

É natural que, nessa busca do *herói*, da identificação do eixo *ego–Self*, ocorram essas nuanças de insucesso, que levam à maturidade, de inquietação e de aprendizado, necessários ao processo de crescimento interior, desde que o conquistador esteja disposto a refazer caminhos, a reconquistar-se, superando a *sombra* e não se permitindo fixar na culpa.

Toda viagem interior, à semelhança daquilo que ocorre quando se viaja para fora, é uma aventura de alto significado, sendo que as sucessivas camadas de experiências negativas que vitalizam o *Eu*-inferior, demoníaco, geram impedimentos emocionais, dando largas a conflitos de natureza infantil, como as fugas para a lamentação, as queixas, a necessidade de *colo materno*.

O júbilo deve permanecer no coração de todos os indivíduos, mesmo quando enfrentando situações embaraçosas ou difíceis, pois que proporciona claridade mental, enquanto a sisudez, a mágoa, o autodesprezo podem ser considerados como revides do Eu-infeliz punindo o malsucedido.

Rejubilar-se na comunhão com as propostas da vida, na convivência com as pessoas e a Natureza, consigo mesmo, constitui dever psicológico derivado da harmonia que se consegue mediante esforço e autoidentificação de valores.

A atitude do *pai misericordioso* em relação ao filho arrependido deve constituir uma lição viva de comportamento que todos os indivíduos devem manter em relação àqueles que se encontram em dificuldades de qualquer natureza, auxiliando, sem exigências descabidas, sem arrogância de triunfador em face da queda do outro, de maneira edificante e estimuladora.

Quando se reprocha outrem pelo comportamento malsão, em consequência das suas ações incorretas, deve ser levado em conta que o tombado espera ajuda e não somente repreensão, buscando-se corrigir-lhe o erro, quando seja possível, sem criar-lhe conflitos de inferioridade que o podem empurrar para situações mais deploráveis.

Há uma tendência natural para a tristeza entre muitos seres humanos, que se transforma em melancolia e contribui para o desinteresse pela vida, para a falta de observância da beleza que existe em toda parte.

Esses pacientes trazem de reencarnações anteriores alguma culpa que se transformou em autopunição, trabalhando para que não experimentem alegria, inconscientemente por acreditarem que não a merecem. Predomina-lhes, então, no comportamento, a *sombra* com a sua carga de negativismo, de punição...

A vida humana é um hino grandioso que exalta a grandeza do *Uno* em toda parte, convidando ao desenvolvimento dos valores adormecidos, do *deus* interno em expectativa de despertamento.

Todos os seres humanos estão comprometidos com o Universo, assinalados por um importante labor a desempenhar em qualquer situação em que se encontre.

A harmonia é resultado de muitos fatores, alguns diversos que se unem, formando um conjunto de equilíbrio.

O equilíbrio interior não significa paralisia, ausência das *colisões*, antes, pelo contrário, são elas que favorecem o encontro da situação ideal, após os choques inevitáveis dos processos em litígio.

Em busca da verdade

Para alcançar-se, nesse aprendizado, a *integridade*, é necessário que ocorra o perfeito entendimento do *Self* pela consciência, a identificação das polaridades antes em conflito e oposição, apesar das novas aparições que se transformam em materiais inusitados a integrar.

Sempre se está crescendo durante toda a existência, em cada fase conseguindo-se novos contributos para o enriquecimento da vida psicológica.

Somente assim é possível rejubilar-se consigo mesmo, quando cada qual descobre a riqueza interior que vai acumulando, a maneira como supera as crises que surgem e as situações desafiadoras.

Cada etapa da vida, portanto, tem as suas imagens arquetípicas, os seus comportamentos e as suas conquistas, trabalhando para a vitória sobre o respectivo período que se vivencia.

O *pai misericordioso rejubila-se* com o retorno do filho, mas não se esquece de atrair também o outro filho, o ciumento e vingativo, que se nega a *entrar em casa*, evitando participar da festa de alegria, significando o *Eu-demoníaco*.

O amor, porém, do *Pai* desmascara-o, enfrenta-lhe a *persona* doente, e demonstra que está contente por tê-lo e que se rejubila por conviver e beneficiar-se da sua presença.

Por isso, um *cabrito* que lhe desse para banquetear-se com os amigos não tinha qualquer sentido para aquele que lhe dava tudo, porquanto, assim informara: *E tudo quanto é meu é teu...*

A vida é um poema de júbilos.

Rejubilar-se com tudo e com todos é o passo feliz para a *individuação*.

5

CONVIVER E SER

CAIR EM SI • A CORAGEM DE PROSSEGUIR EM
QUALQUER CIRCUNSTÂNCIA • SER-SE INTEGRALMENTE

É inegável que o Evangelho de Lucas possui uma beleza especial, que o torna um dos mais belos livros que jamais se escreveram.

Quando Jesus se dirigia a Jerusalém, nessa subida narrou 19 parábolas, que representam um dos mais belos e atuais estudos do comportamento humano diante da consciência enobrecida e dos deveres para com o próximo.

É chamado de *O Evangelho da misericórdia e da compaixão*.

Misericórdia e compaixão constituem desafiadores termos da equação existencial humana. Misericórdia, porém, que seja mais do que piedade, também alegria no júbilo do outro, satisfação ante a vitória do lutador e tudo quanto se puder fazer, que seja realizado *com paixão*, com um devotamento superior rico de bondade e de enternecimento...

O capítulo XV, que tem merecido nossas reflexões na presente obra, narra as três *parábolas dos perdidos*, em uma análise das necessidades emocionais do ser diante das ocorrências do cotidiano, dos aparentes insucessos e perdas, que devem constituir motivo de coragem e de busca, jamais de recuo ou de desistência.

(...) E Ele narrou-as, porque, acossado pela hipocrisia farisaica dos seus ferrenhos inimigos, que O acusavam de conviver com os miseráveis: meretrizes, ébrios, poviléu, doentes e *excluídos,* não teve outra alternativa, senão tentar despertar as suas consciências ignóbeis adormecidas para o bem e para a solidariedade.

Caluniado de *beberrão e comilão*, porque se alimentava com os infelizes, jamais se justificou, isto porque não tinha *sombra,* era *numinoso.* Entretanto, fazia-se mister legar-lhes o tesouro terapêutico da misericórdia, a fim de que entendessem que também eram esfaimados de luz e de amor, debatendo-se nos conflitos hediondos em que se refugiavam.

Preferiam não entender que Ele é a *Luz do Mundo* e, à semelhança do Sol que oscula a corola da flor sem perfumar-se, assim como o pântano apodrecido sem macular-se, pairava acima das humanas misérias, erguendo os tombados e evitando que descessem a abismos mais profundos, aqueles que se lhes encontravam à borda...

Preocupavam-se, os seus infelizes acusadores, em manter os hábitos e a tradição, sempre exteriores, com o mundo íntimo em trevas, comprazendo-se em vigiar os outros, descarregar as culpas e mesquinhezes naqueles que invejavam porque não eram capazes de se assemelhar ou pelo menos de aproximar-se-lhes moralmente...

Captando-lhes os pensamentos hostis e despeitados, ouvindo-lhes as acusações, o Homem Integral, compadecendo-se da sua incúria, expôs a Sua tese, através de interrogações sábias e respostas adequadas: *Qual de vós é o homem que, possuindo cem ovelhas e tendo perdido uma delas, não deixa as noventa e nove no deserto, e não vai em busca da que se havia perdido até achá-la? Quando a tiver achado, põe-na cheio de júbilo sobre os seus ombros e, chegando a casa, reúne os seus amigos e vizinhos e diz-lhes: Regozijai-vos comigo, porque achei a minha ovelha que se havia perdido. Digo-vos que assim haverá maior júbilo no céu por um pecador que se arrepende, do que por noventa e nove justos, que não necessitam de arrependimento.* E prosseguiu, intimorato e intemerato: *Qual a mulher que, tendo dez dracmas e perdendo uma, não acende a candeia, não varre a casa e não a procura diligentemente até achá-la? Quando a tiver achado, reúne as suas amigas e vizinhas, dizendo: Regozijai-vos comigo, porque achei a dracma que eu tinha perdido. Assim, digo-vos, há júbilo na presença dos anjos de Deus por um pecador que se arrepende.* (Versículos 4 a 10.)

As profundas parábolas dos *perdidos e achados* são o prólogo da extraordinária narrativa do *pai que tinha dois filhos...*

Nas três narrativas, o *inconsciente coletivo* libera inúmeros arquétipos ocultos que se fazem presentes, de maneira clara, como acompanhamos no texto, quando o homem e a mulher são apresentados, respeitando o *anima-us*, para servir de base ao estudo psicológico do ser humano que, embora a diferença de sexo, as emoções se equivalem, as aspirações são idênticas, as ansiedades e alegrias são características do seu comportamento.

A saúde, a paz de espírito, o equilíbrio emocional e psicológico, a harmonia doméstica, a confiança, a alegria de viver podem ser considerados *ovelhas e dracmas* valiosas que todos estimam e lutam por preservar. Nada obstante, as circunstâncias do trânsito carnal, não poucas vezes, criam situações difíceis e perdem-se alguns desses valores ou, pelo menos, um deles, essencial à vitória e ao bem-estar. É sábio quem, não considerando os outros tesouros, empenha-se por buscar o que foi perdido, lutando com tenacidade até encontrá-lo e, ao tê-lo novamente, quanto júbilo que o invade! Irrompe-lhe a satisfação imensa, o desejo de anunciar a todos: amigos, vizinhos e conhecidos, a alegria de que se encontra tomado pela recuperação do que havia perdido e voltou a fazer parte da sua existência.

Todos os indivíduos conduzem no *inconsciente individual* a sua *criança ferida, magoada*, que lhe dificulta a marcha de segurança na busca da paz interior, da saúde e da vitória sobre as dificuldades.

Essa *criança ferida* é o ser humano perdido no *deserto*, ou na *casa*, que necessita ser varrida, a fim de retirar as camadas de ressentimentos que impedem a claridade da razão, do discernimento.

Mediante a reflexão e a psicoterapia equilibrada, a *criança ferida* libera o adulto encarcerado que não se pode desenvolver, e ocorre uma integração entre a *sombra* e o *ego*, proporcionando alegrias inenarráveis ao *Self*, que aspira à perfeita junção das duas fissuras da psique.

Jesus conhecia essa ocorrência, identificava os opositores internos, e por isso trabalhava com as melhores ferramentas da bondade e da compaixão, que Lhe constituíam recursos psicoterapêuticos para oferecer à massa dos sofredores e, ao mesmo tempo, dos adversários soezes que O não conseguiam perturbar.

Em busca da verdade

As *três parábolas da esperança,* que são os tesouros arquetípicos existentes no inconsciente de todos os indivíduos, têm urgência de ser vivenciadas, seja num mergulho de reflexão em torno da existência de cada qual, seja pela observação dos acontecimentos naturais do dia a dia, trabalhando os conflitos que decorrem das *perdas* para que sirvam de alicerces para as resistências na busca para o *encontro.*

A sociedade é constituída em todos os tempos por pessoas como aquelas às quais Jesus deu prioridade, comendo e bebendo com elas, isto é, sentando-se à mesa da fraternidade, alimentando-se sem alarde e sem preocupações exteriores das observâncias israelitas, demonstrando sua preocupação maior com o interior, com a *psique,* do que com o exterior, o *ego,* a aparência dissimuladora.

O número de transtornados psicologicamente é muito grande, em face da preservação da *criança ferida* em cada um, dos complexos narcisistas e de inferioridade, do egoísmo e da presunção que impedem o indivíduo de autorrealizar-se. Sempre está observando o que não tem, o que ainda não conseguiu, deixando-se afligir pela imaginação atormentada, fora da realidade objetiva, *perdendo-se...*

O *encontro* somente será factível quando se resolver por autopenetrar-se, por buscar identificar a raiz do drama conflitivo e encorajar-se a lutar em favor da libertação, *regozijando-se* com cada *encontro,* cada realização dignificante.

Quem teme o avanço e somente observa a estrada, permanece impossibilitado de conquistar espaços e alcançar o cume da montanha dos problemas desafiadores. Passo a passo, etapa a etapa, vão ficando para trás os marcos das vitórias, pequenas umas, significativas outras, facultando a integração da própria na Consciência Cósmica sem a perda da sua individualidade.

CAIR EM SI

As *perdas* têm uma trajetória na psique humana, desde os primórdios da evolução, quando ocorreu a *saída do paraíso, a perda da inocência,* ante os gravames das castrações culturais, religiosas, sociais, que geraram o mascaramento da necessidade substituída pela dissimulação, dando surgimento aos primeiros sinais de insegurança e aos registros de *criança ferida* no indivíduo.

Embora se reconhecendo problematizado, esse indivíduo ainda hoje foge da responsabilidade do enfrentamento das culpas e desafios, normalmente transferindo-a para os demais, que são injustamente considerados como inimigos e perturbadores da sua paz íntima.

Poderá, realmente, alguém de fora, criar embaraços ou sombrear a luz interna, a paz de cada qual, trabalhada na consciência tranquila em torno dos deveres retamente cumpridos? É claro, que não. No entanto, torna-se mais fácil ao *ego* transferir responsabilidades do que enfrentar a *sombra* devastadora a que se acostumou.

O estágio da *doença* prolongada gera uma aceitação da circunstância com certa dose de alegria, porque o *doente* não trabalha, mas dá trabalho, não se preocupa com as ocorrências deixando que outrem as assuma, permanecendo num estado infantil de dependência, de lágrimas e de queixas, com que se compraz, enquanto se aflige...

Em busca da verdade

A conscientização da culpa, assim como das necessidades de serem saudáveis, são sempre retardadas pelos Espíritos enfermos, que se refugiam nas decantadas fraquezas de que se dizem possuídos, atribuindo aos lutadores incansáveis forças que não lhes foram concedidas, como se houvesse privilégio entre as criaturas, aquelas que desfrutam de benesses imerecidas e aqueloutras que são as castigadas pela vida, portanto, dignas de piedade e de amparo.

O desenvolvimento psicológico é contínuo, exceto quando impedido pela acomodação do *ego* dominador.

O Evangelho de Jesus, particularmente as parábolas narradas por Lucas, são, indubitavelmente, um tratado valioso de psicoterapias espirituais, morais, sociais e libertadoras para todos os indivíduos que as examinem em todos os tempos depois de escritas...

Falando através de parábolas, Jesus utilizou-se dos mais valiosos recursos orais que existem, porque os arquétipos vivenciados encontram-se em todos os indivíduos, ocultos ou não, e que, através dos diferentes períodos, sempre se expressam com caráter de atualidade.

Na Parábola do Pai Misericordioso, quando o filho ingrato experimenta miséria econômica, moral, social pelo desprezo de que é objeto, após reflexionar muito na situação de penúria em que se encontrava, *caindo em si* resolveu buscar o pai que atendia aos seus empregados com nobreza, optando por não mais ser aceito, nem sequer como filho, porque não o merecia, mas como servo... E assim o fez, sendo recebido, não como empregado, mas como filho de retorno ao coração afetuoso.

Foi necessário *cair em si...*

Cair em si foi o triste despertar de Judas ante a injunção da culpa, desertando mais lamentavelmente através do suicídio, num surto perverso de depressão...

Cair em si foi o momento em que Pedro conscientizou-se após as negações, redescobrindo o Amigo traído e abandonado, oferecendo, então, a existência inteira, a partir dali, consciente e lúcido para recuperar-se...

Cair em si foi a oportunidade que se permitiu a mulher equivocada de Magdala, que se transformou interiormente, a ponto de haver sido escolhida para ser a mensageira da ressurreição...

Cair em si deve constituir-se o passo inicial a ser dado por todos os doentes da alma, por aqueles que se comprazem nos conflitos e que se recusam as bênçãos da saúde real, que estorcegam no sofrimento, optando pela piedade e comiseração em vez do apoio do amor e da fraternidade...

A conquista da autoconsciência tem início nesse *cair em si*, graças ao sofrimento experimentado, que é o desencadeador da necessidade de *encontro*, de autoencontro profundo. O sofrimento consciente, que faculta reflexões, convida, normalmente, à mudança de comportamento, porque expressa distonia na organização física, emocional ou psíquica que necessita de ajustamento. Essa experiência evolutiva conduz com segurança ao encontro com o *Cristo* interno, ajudando-o a ampliar as suas infinitas possibilidades de crescimento e de libertação.

Encarcerado no egoísmo e vitimado pelas paixões ancestrais, o homem de todos os tempos padece a injunção da ignorância dos males que o visitam, que nele mesmo se encontram, procurando mecanismo de evasão e jus-

Em busca da verdade

tificativas irreais, para evitar-se o enfrentamento, a busca real e necessária do *Si*.

Um número expressivo de problemas emocionais que se encontram na *criança ferida*, que se sente, mesmo na idade adulta, desamada e injustiçada, pode ser corrigido quando o sofrimento deixa de ser manifestação de revolta para tornar-se viagem na direção da autoconsciência, através da qual consegue compreender as ocorrências humanas sem acusações nem desforços.

Provavelmente, os pais ou educadores que se encarregaram de conduzir e orientar os passos iniciais da criança, foram, a seu turno, vítimas da mesma injunção decorrente da ignorância dos seus ancestrais, que se comportaram com impiedade e indiferença, negligenciando os deveres e deles exigindo demasiadamente... Não será justo, que o mesmo painel de amarguras seja transferido para a outra geração, nesse círculo vicioso que tem de ser interrompido pelo despertar da consciência. Para que isso ocorra, no entanto, é necessário que cada qual caia em si, analisando com tranquilidade as suas dificuldades emocionais e trabalhando-as com dedicação, a fim de serem reformuladas e revivenciadas.

Noutras vezes, quando a *ferida* é muito profunda, torna-se necessária a psicoterapia especializada, a fim de levar o paciente a reviver os momentos angustiosos que foram asfixiados pelo medo, submetidos aos impositivos da prepotência dos adultos, perturbando o desenvolvimento psicológico. Mediante a análise de cada *sombra* dominadora, será projetada a luz do *Self* em busca da integração, favorecendo o amadurecimento emocional do paciente e concedendo-lhe ensejos de recuperação e de alegria de viver.

Essa psicoterapia levará à catarse de todos os conflitos que permanecem ditatorialmente governando a existência quase fanada, facultando que, por intermédio das associações, abram-se horizontes adormecidos e surja o sol do bem-estar e da harmonia interior.

Já não lhe será necessário o refúgio infantil da lamentação nem da acusação, mas a lucidez para compreender o sucedido, facultando-se renovação e entusiasmo nos enfrentamentos que proporcionam a descoberta da alegria.

A tristeza que, periodicamente, assalta a casa emocional do ser humano não é negativa, quando se apresenta em forma de melancolia, por falta de algo, por desejo de conseguir-se alguma coisa não lograda... Essa expressão da emoção vibrante caracteriza o bom estado de saúde mental, porque é uma fase de curta duração, abrindo campo para novas percepções dos valores mais elevados que não estão sendo considerados e logo se transformam em recursos portadores de bem-estar. Nada obstante, a experiência deve ser de breve duração ou vigência, a fim de não criar um clima psicológico doentio que venha a transformar-se em condição patológica. Somente as pessoas normais, em equilíbrio, experimentam as várias emoções que constituem o painel da sua realidade emocional. Saúde e bem-estar sustentam-se nos alicerces das experiências diversificadas, vividas pelo indivíduo em equilíbrio e harmonia.

Ninguém espere felicidade como uma horizontal assinalada somente por alegrias e ocorrências satisfatórias, que não existem de maneira permanente, mas como uma

Em busca da verdade

grande estrada sinuosa, com altibaixos, sendo que a próxima descida jamais deve atingir o nível inicial de onde se começou a marcha...

Nas duas parábolas das perdas da ovelha e da dracma, enfrenta-se uma situação muito delicada, que é, no primeiro caso, deixar-se todo o rebanho, a fim de ir-se buscar a extraviada, ou preocupar-se, no segundo caso, exclusivamente com a moeda que desapareceu...

Quando ocorre um problema no comportamento emocional, como se fora uma *ovelha* que se desgarra do conjunto psicológico, a necessidade de trabalhar-se a sua falta e encontrar-se a melhor solução, não exige que se distraia das outras faculdades, de modo a não vir o desfalecimento do entusiasmo e da alegria de viver.

As demais *ovelhas no deserto*, normalmente estão guardadas por cães pastores que se encarregam de mantê-las unidas, enquanto não chega o condutor...

De igual maneira, é necessário que a vigilância interior, o *cão* atuante, esteja cuidando dos demais valores, a fim de que a harmonia do conjunto não seja perturbada, e, ao encontrar o *perdido*, realmente o ser se permita invadir pelo regozijo, a todos comunicando, mesmo que, sem palavras, o júbilo de que se encontra possuído.

Todos necessitam de vivenciar, vez que outra, alguma perda, a fim de melhor valorizar o que possui. Enquanto se encontram em ordem os valores, as emoções seguem o curso harmônico das ocorrências, o *Self* acomoda-se à *sombra* e às injunções do momento. Um choque, um acontecimento representativo de perda produz uma reação emocional correspondente à qualidade do perdido, ensejando a busca, a reconquista do que se possuía e agora se transforma num valor cuja qualidade não era conhecida, porque existia e estava à disposição.

É comum afirmar-se, com certa razão, que somente se valoriza algo quando se o perde. É certo que há exceções, no entanto, diante dos problemas humanos, os apegos às coisas levam o indivíduo a desconsiderar todos os tesouros que possui e, momentaneamente, não lhes concede o mérito devido, a qualidade de que são portadores.

Uma organização física saudável, em que os sentidos sensoriais atuam com automatismo, constitui um precioso recurso que muitos somente consideram quando vitimados por qualquer problemática em algum deles. Enquanto isso não se apresenta, utiliza-lhe a função sem a real consideração que merece.

O mesmo sucede com a bela imagem da dracma, em considerando o seu valor para a subsistência da mulher e a manutenção da sua dignidade social.

Os Espíritos frágeis na luta, os enfermos emocionalmente, deixam-se vencer pelas perdas de muitos bens emocionais, sem envidar o menor esforço pela sua preservação ou mesmo reconquista, deixando que o tempo se encarregue de solucionar aquilo que lhes diz respeito, complicando, cada vez mais, a sua saúde comportamental. A negligência a esse respeito é muito grande e, por isso, a maioria dos padecentes emocionais somente busca ajuda quando se encontra experimentando a fome das *algarobas* duras e raras, caindo, então, em si, quanto à própria situação em que se encontra. É nesse momento, que eles se recordam que têm um *pai misericordioso*, e somente o

Em busca da verdade

buscam porque têm necessidade, já que o sentimento de amor e de respeito não foi levado em conta.

Cair em si, portanto, é uma forma de conversão, de voltar-se para algo novo ou redescobrir o valor do que possuía e desperdiçou.

Ninguém pode assumir uma postura madura e equilibrada sem o contributo da reflexão profunda que lhe permite mergulhar no *Si*, valorizá-lo e entregar-se com coragem, rastreando os caminhos percorridos e retificando as anfractuosidades que ficaram na retaguarda.

A coragem de autodescobrir-se, identificando os erros que se permitiu, e o desejo real por uma nova conduta facultam que o *Self* aceite a *sombra* e integre-a harmoniosamente, facultando-se a alegria da recuperação.

Como Psicoterapeuta invulgar, ao narrar as duas parábolas, Jesus tomou como exemplos um homem e uma mulher, colocando em igualdade psicológica o *anima-us*, para demonstrar que as necessidades e emoções são iguais, embora as diferenças de sexo.

O pastor, que sai à procura da ovelha desgarrada, é estimulado pela sua *anima*, e quando a encontra, condu-la maternalmente, com carinho ao rebanho, rejubilando-se como a *galinha que agasalha todos os seus pintainhos sob a sua segurança...*

Por sua vez, a mulher que perdeu a dracma é automaticamente comandada pelo seu *animus*, que a leva a varrer a casa, a acender uma candeia para conseguir luz e põe-se afanosamente a procurá-la até o momento em que a encontra, e então, funde-se-lhe o *anima-us*, e exultante, a todos notifica o acontecimento.

Para muitos pacientes, libido é a alma da vida, utilizando-se de toda a sua pujança para a autorrealização que não ocorre dessa forma. Quando, porém, qualquer circunstância gera um conflito e eles têm a impressão de a haverem perdido, transtornam-se e a tudo abandonam somente pensando no retorno da sua função, da sua aspiração preponderante...

Essa atitude pode parecer muito bem com a do pastor, diferindo em essência, quando este último ama a todas as suas ovelhas com igualdade, não desejando, como é natural, perder nenhuma.

O paciente, no entanto, valoriza, à exorbitância, essa energia que expressa vida, e logo faz o quadro depressivo, considerando-se indigno e incapaz de viver. A sua busca é ansiosa e assinalada pelos tormentos da incerteza, enquanto o pastor estava consciente do êxito do empreendimento.

A existência terrena, portanto, deve ser considerada em conjunto, em totalidade, de modo que todos os valores que constituem a sua realidade mereçam igual interesse e valorização.

Nenhuma função é mais relevante do que outra, porquanto na harmonia da organização fisiológica devem prevalecer o bem-estar psicológico e a claridade mental. Em razão disso, os fenômenos orgânicos acontecem como resultado do bem-elaborado projeto psíquico responsável pela marcha evolutiva.

Qual de vós? Interrogou Jesus, demonstrando que todos os seres humanos experimentam as mesmas angústias e ansiedades, buscam as mesmas realizações e, quando convidados ao sofrimento, sentem necessidade de paz e de

Em busca da verdade

renovação. Não importa se têm haveres ou se vivem com carências, porque mesmo no desvalimento sempre se possuem outros recursos de natureza emocional e moral, que lhes são de alto significado, não abdicando, por exemplo, do orgulho, da presunção, do egoísmo...

Não é difícil encontrar-se na miséria econômica os indivíduos dominados por sentimentos de rancor e de mágoa, vencidos pela *sombra*, que teima em preservá-los no primitivismo... Esses sentimentos inferiores constituem *tesouros* para muitos afligidos, que não se incomodam de sofrer, desde que não se vejam impulsionados à mudança interior de atitude perante a vida. Quando possuírem outros bens, considerados de alto significado, a eles apegando-se, tornam-se mais déspotas, vingativos e desditosos. Se perdem algo, aturdem-se, deblateram e revoltam-se, considerando-se injustiçados pela vida até o momento em que o sofrimento os leva a *cair em si*, quando tem começo a sua renovação. A partir desse momento, atiram-se na busca da *ovelha* ou da *dracma* perdidas, rejubilando-se ao reencontrá-las.

Há muitos valores morais em jogo na existência e no seu curso, alguns quando correndo perigo fogem para o *deserto* ou perdem-se na *sala* do próprio lar...

A saúde real consiste no encontro e assimilação desses bens indispensáveis à paz interior e ao equilíbrio emocional, sem perdas nem prejuízos gerados por culpas ora superadas.

Nessa circunstância, a *criança ferida* que existe em cada pessoa está renovada, sem cicatrizes nem marcas dos transtornos passados, vivenciando a individuação.

A CORAGEM DE PROSSEGUIR EM QUALQUER CIRCUNSTÂNCIA

A existência humana pode ser comparada ao curso de um rio que busca o mar. A sua nascente com aparente insignificância, não poucas vezes, vai formando singelo curso que aumenta de volume à medida que recebe a contribuição de afluentes, vencendo obstáculos, arrastando-os, seguindo a fatalidade que o aguarda, que é o mar ou o oceano...

As experiências da aprendizagem que ampliam a capacidade interior do discernimento e do conhecimento, constituem afluentes que favorecem o crescimento individual do ser humano, à medida que surgem dificuldades e problemas que não podem parar o fluxo. A força do seu volume, em forma de amadurecimento psicológico, proporciona a capacidade para superar os impedimentos de toda ordem que são encontrados pela frente.

Toda ascensão exige sacrifícios. O tombo no rumo do abismo é quase normal, em face da *lei da gravidade moral,* enquanto que a elevação interior, a coragem de descer ao íntimo para subir ao entendimento, constitui um dos desafios existenciais mais complexos, em face do hábito resultante da acomodação em torno do já experienciado, do já conhecido, sem a aspiração impulsionadora para romper com a rotina e superar o estado de modorra em que se demora.

A busca e preservação da saúde é meta que deve priorizar, dando sentido psicológico à existência.

Em busca da verdade

Desse modo, as perdas impõem a necessidade urgente do encontro mediante os riscos naturais que toda viagem heroica exige.

Mede-se a estrutura moral da criatura não somente pelos êxitos alcançados, mas pelo empenho no prosseguimento das lutas desafiadoras, ferramentas únicas responsáveis pelo crescimento ético-moral e espiritual ao alcance da vida.

A busca do *Cristo interior*, nesse cometimento, assume um papel de relevante importância, que é o esforço pela conquista da superconsciência. Quando se consegue essa integração com o *ego*, alcança-se a individuação.

Conceituou-se, por muito tempo, que a saúde seria a falta de enfermidade, e que os indivíduos portadores desse requisito eram mais bem aquinhoados que os demais. Constatou-se, porém, através das experiências, que a saúde não é apenas o efeito da harmonia orgânica, da lucidez mental e da satisfação psicológica, porque outros fatores, como os de natureza socioeconômica, desempenham também importante papel na sua conquista e preservação.

Enquanto se movimenta na argamassa celular, o Espírito estará sempre defrontando as consequências das suas realizações passadas, que lhe impõem compromissos reparadores quando se equivocou, e estímulos de crescimento quando se manteve dentro dos padrões do equilíbrio e do dever.

A harmonia, portanto, que deve existir entre todos os fatores, nem sempre ocorre de maneira perceptível, apresentando-se em formas variadas de achaques, de melancolias, de estresses, todos temporários, sem que se constituam problemas perturbadores, transtornos na área da saúde.

Pode-se estar saudável, embora portando-se disfunções orgânicas ou doenças em tratamento...

O equilíbrio da emoção responde pelo comportamento enquanto se manifestam os fenômenos das alterações celulares, das transformações que se operam em quase todos os órgãos como resultado do seu funcionamento, das agressões internas e externas, sem que afetem o bem-estar geral que deve ser mantido.

Outras vezes, instabilidades emocionais defluentes de expectativas naturais do processo de crescimento, preocupações em torno das necessidades que constituem o mapa da conduta social, aspirações idealísticas, dores morais internas, insatisfações com alguns resultados de empreendimentos não exitosos, contribuem para a ansiedade, porém sob controle da mente administradora, que prossegue estimulando a produção das *monoaminas* responsáveis pela alegria, pela felicidade: dopamina, serotonina, noradrenalina...

O vento que vergasta o vegetal dá-lhe também resistência e vigor.

De igual maneira, os fenômenos, às vezes, desagradáveis, que têm curso durante a jornada humana, contribuem para vitalizar os sentimentos e fortalecer a coragem, proporcionando valores dignificantes.

Ninguém que, se movimentando no corpo físico, não esteja sujeito a tropeços e quedas, de igual maneira, ao soerguimento e à continuação da marcha.

Como elemento vitalizador da luta evolutiva, o amor é de primacial importância, mesmo quando proporciona

Em busca da verdade

preocupações e desencantos. É natural que se ame desejando algum retorno, em face da precariedade dos sentimentos ainda não desenvolvidos. Ideal, no entanto, será que o amor se manifeste como efeito da alegria de viver e de expandir as emoções, os regozijos de que a pessoa se sente possuída, por descobrir esse dom precioso – a *dracma* perdida no desconhecimento – que é muito mais benéfico para quem o possui.

O conceito, entretanto, vigente em torno do amor, é que ele aprisiona, reduz a capacidade de entendimento em torno dos valores da vida, elege ídolos de *pés de barro* que não suportam o peso da própria jactância e arrebentam-se, destruindo o *herói*. O medo de amar ainda encarcera muitas mentes e corações que se estiolam a distância, fugindo desse impulso de vida que é vida.

No entanto, somente através do amor, isto é, a serviço dele, é que se estruturam os ideais edificantes e enobrecedores da sociedade. Não é o amor que aprisiona, senão a insegurança do indivíduo que transfere para outrem os seus medos, as suas inquietações, as suas ansiedades, aguardando tê-los resolvidos sem o esforço que se faz exigido para tanto.

Quando se estabelece o sentimento de respeito e de amizade entre duas ou várias pessoas, há um enriquecimento interior muito grande porque o *ego* se expande, dilui-se, e o sentimento da fraternidade solidária alcança o *Self*, proporcionando o bem-estar, no qual o indivíduo sente-se realizado, operando cada vez mais em favor do grupo, sem olvido de si mesmo.

Nesse expandir do sentimento afetivo, há valorização sem exorbitância do *Si-mesmo*, que passa a merecer consideração emocional, libertando-se das traves que lhe impedem o desenvolvimento. Quanto mais se ama, muito mais se ampliam os seus horizontes afetivos.

É através do amor que a Divindade penetra a consciência humana, por meio dos seus desdobramentos em forma de interesse pelo próximo, pela vida, do labor em favor de melhores condições para todos, incluindo o planeta ora quase exaurido...

Esse Deus está muito além da superada manifestação antropomórfica, sendo *a Inteligência Suprema e a Causa Primeira do Universo*. Não necessita de qualquer tipo de culto externo, de manifestações formais, das celebrações que deslumbram, dos comportamentos extravagantes... Deus encontra-se na atmosfera, que é fonte de vida, nutrindo tudo quanto existe, mas também nos ideais, e mais além, em toda parte, nos sacrifícios, na abnegação de santos e de mártires, de cientistas e de trabalhadores, de intelectuais e de idiotas, em todas e quaisquer expressões de vida, desde o protoplasma ao complexo humano. É através d'Ele que se alcança o processo de individuação.

Supõe-se que a individuação irá ocorrer somente por meio dos momentos exitosos, das vitórias sobre a *sombra,* da autoconsciência conseguida. Sem dúvida, que assim ocorre, mas também, nesse processo de individuação, surgem períodos muito difíceis, que são defluentes das alterações orgânicas, em face do avanço da idade, de conjunturas psicológicas, algumas delas afligentes, de inquietações mentais, no entanto, instrumentos hábeis para o amadurecimento interior, para a visão correta em torno da existência, para o trabalho de autoburilamento.

A individuação não é uma conquista fácil, tranquila, mas resultante de esforços contínuos, devendo passar,

Em busca da verdade

às vezes, por fases de sacrifícios e de renúncias. Ninguém consegue uma vida de bem-estar sem o imposto exigido em forma de contínuas doações de dor e de coragem, enfrentando todas as situações com estoicismo, sem queixas, porque, à semelhança de quem galga uma elevação, à medida que se esforça para consegui-lo, beneficia-se do ar puro, do melhor oxigênio.

A individuação é o *oxigênio puro* de manutenção do ser.

A conquista desse estado *numinoso* pode ser comparada a uma forma nova de religiosidade, na qual se consegue a harmonia entre a vida na Terra e no céu.

Anteriormente, por não existir a Psicologia Analítica, a religião albergava todas as necessidades humanas e a confissão auricular produzia um efeito psicoterápico na liberação da culpa, mantendo, no entanto, irresponsável o indivíduo, que achava muito fácil errar e ser perdoado, ferir e ser desculpado, sem realizar o processo de autoiluminação.

Graças, porém, à visão nova de Jung, os mitos religiosos podem ser substituídos pelos arquétipos e os conflitos, em vez de recalcados e desculpados, devem merecer catarse, diluição, enfrentamento e reparação dos danos que hajam causado.

São os arquivos do inconsciente que conduzem o indivíduo, e não o seu *ego* sujeito às alternativas dos interesses imediatos.

Nesse arquivo grandioso do Espírito, o *ego* pode e deve manter diálogos com o *Self* para tomar conhecimento lúcido dos seus conteúdos e melhor conduzir os equipamentos de que dispõe na sua proposta de vida.

É identificando o erro que se aprende a melhor maneira de não o repetir. O que denominamos como erro, no entanto, trata-se de uma experiência incorreta, aquela que ensina a como não mais proceder dentro dos seus parâmetros, terminando por ser valiosa contribuição à evolução.

O ser humano, portanto, é algo maior do que as expressões exteriores, os êxitos momentâneos, constituindo-se de toda a sua história que registra insucessos e vitórias, tristezas e alegrias, produzindo-lhe o equilíbrio que o segura e mantém no rumo certo.

O *pastor* que resgata a ovelha *perdida*, torna-se mais vigilante em relação a ela assim como às demais, evitando-se excesso de confiança, porque à medida que o rebanho avança, existem desvios e abismos perigosos...

Ante a *ovelha* que foge, a atitude do *pastor* é o socorro maternal, nada obstante, às vezes, o animal rebelde liberta-se dos braços protetores e novamente desaparece, optando pelo desvão no qual se oculta... Em tal situação, em seu benefício, o pegureiro assume o seu *animus* e, vigoroso, aplica-lhe o cajado ou atiça-lhe o cão, encaminhando-o de volta ao aprisco.

É, portanto, inadiável o dever de prosseguir-se no compromisso relevante sob qualquer custo, seja qual for a circunstância em que se apresente.

A insistência de que se dá provas, quando se optando pela situação doentia, pelas sinuosidades do comportamento sem responsabilidade, propele a consciência – *o pastor vigilante* – a impor sofrimentos que se encarregam de apontar o rumo correto, de *encontrar-se* o que se está extraviando ou foi deixado na retaguarda...

Em busca da verdade

O ocidental acostumou-se com os limites da emoção e adaptou-se aos prazeres da sensação de tal modo que tudo aquilo que o convida à inversão desse comportamento parece-lhe de difícil aplicação e, por tal razão, evita viver a proposta de olhar para si mesmo, para dentro, de autopenetrar-se para descobrir os incomparáveis tesouros da alegria íntima, da vivência elevada, sem cansaço, sem ansiedades nem expectativas. Esse esforço é realizado somente quando não tem outra alternativa e quando apresenta cansaço em torno do conhecido gozo dos sentidos.

É necessário passar por todas essas experiências, experimentar dificuldades e acertos, sofrer perseguições e ser eleito, porque tudo isso faz parte da constituição arquetípica da evolução, e ninguém pode vivenciar um estágio sem passar pelo outro.

Essas necessárias capacitações desenvolvem os sentimentos, aprimoram a visão em torno da vida, amadurecem o ser psicologicamente, trabalhando-lhe o *Self*, a fim de que os seus valores profundos abram-se em benefício da individuação.

Normalmente as criaturas queixam-se das cruzes que carregam e as fazem sofrer, parecendo-lhes injusto ter que as conduzir com dificuldades, vivendo em situações difíceis e ásperas. De alguma forma, o conceito e peso da cruz estão muito vinculados ao complexo da *infância* que se encarregou de dar a visão do mundo. De acordo com a educação recebida a criança passa a ter conceitos da existência que são herdados dos pais. Por essa razão, para alguns, o que constitui fardo, para outros é aprendizado valioso.

A pessoa deve aprender desde cedo a enfrentar os fenômenos existenciais como parte do seu programa evolutivo, o que equivale a significar que, se dando conta da própria *sombra,* não a deve transferir para outrem, mas cuidar de diluí-la, mediante a compreensão das ocorrências. A *sombra* tem uma vestidura moral em contínuo confronto com a *personalidade-ego,* exigindo, por isso mesmo, o grande esforço de igual magnitude moral, para conscientizar-se, compreendendo e aceitando os fenômenos perturbadores que lhe ocorrem como inevitáveis.

A maioria, no entanto, não a aceita como inerente, elemento constitutivo de todos os seres, portanto, presente em todas as vidas.

Rejeitar ou ignorar a *sombra* é candidatar-se a conflitos contínuos que poderiam ser evitados, caso se reconhecesse a ocorrência desse fenômeno próprio do ser humano. Ela faz parte do ser, de igual forma como o *ego,* o *Self* e todos os demais arquétipos, que são as heranças do largo trânsito da evolução.

Na história mítica da Criação, quando Adão comeu o fruto que lhe foi oferecido por Eva, teve que enfrentar a realidade da sua e da nudez em que ela se encontrava, reagindo automaticamente, procurando um arbusto para esconder-se, quando lhe surgiu o discernimento do ético, do bem e do mal, da malícia e do desejo, resultando nessa fissão da psique, o *anjo* e o *demônio,* cuja harmonia deve ser conseguida através do enfrentamento de ambos, num processo psicoterapêutico de consciência lúcida.

De igual maneira, a *sombra* que dali procedeu permanece no complexo psicológico do ser exercendo o seu papel como herança ancestral do conflito inicial.

A inocência bíblica das duas personagens é referencial mítico para ocultar as funções edificantes da sexuali-

Em busca da verdade

dade, que a castração religiosa considerou como manifestação de inferioridade e de tormento.

À semelhança de outro órgão, o sexo tem as suas exigências que devem ser atendidas com a dignidade e o respeito que lhe são pertinentes. Quando o indivíduo se permitiu a corrupção de qualquer natureza, ei-la refletindo-se também no comportamento sexual, que se torna válvula de escape para a fuga da responsabilidade moral.

Desse modo, os desafios da *sombra* merecem observação carinhosa a fim de conseguir-se a sua integração no *Self*, não mais separando o indivíduo do *ser divino* que ele carrega no íntimo.

SER-SE INTEGRALMENTE

A dicotomia psicológica do ter-se e do ser-se constitui grave questão no comportamento individual e social da Humanidade.

Educa-se a criança, invariavelmente, para ter, para triunfar na vida e não sobre a vida com as suas dificuldades, mas para possuir e gozar.

Como, felizmente, a existência não se constitui exclusivamente das sensações, mas especialmente das emoções, e o ser é mais psicológico do que fisiológico, mesmo quando o ignora, é natural que esse conflito esteja presente em todos os instantes nas reflexões, nas ambições, nas programações existenciais.

Como consequência dessa falsa concepção, tem-se uma visão neurótica do mundo e de Deus, que teriam como função precípua e exclusiva atender aos desejos e caprichos do ser humano, destituindo-o da faculdade de pensar e de agir, como alguém numa viagem fantástica por um país utópico, no caso, o planeta terrestre.

Quando algo constitui uma incitação à luta em favor do crescimento intelecto-moral, ao desenvolvimento espiritual, a conduta neurótica espera que tudo lhe seja solucionado a passe de mágica, pelo fenômeno absurdo da crença religiosa, mediante um milagre, por exemplo, ou uma concessão especial, que lhe constitua privilégio, como se fosse um ser excepcional... Como todos assim pensam, resulta no conceito em torno desse deus apaixonado e antropomórfico – transferência inconsciente da imagem do pai que foi superada durante o desenvolvimento orgânico e mental –, e sofrem o impacto da descrença, da decepção, da amargura, que dão lugar a conflitos perturbadores.

Se a educação infantil se preocupasse em preparar a criança para tornar-se um ser integral, sem fracionamentos, utilizando-se de todos os preciosos recursos de que é constituída, à medida que evoluísse, não experimentaria os tormentos das frustrações defluentes das lutas pelo ter e pelo poder.

Ao mesmo tempo, o conceito de Deus inerente e transcendente a tudo e a todos, como a força inicial e básica do Universo, evitaria a transferência do conceito paterno, mantendo-lhe, não obstante, a aceitação da Causalidade absoluta.

O *Si-mesmo* com facilidade identificaria os objetivos reais da existência, evoluindo com os processos orgânicos e psíquicos, sem apequenar-se diante das necessidades que se apresentam durante o crescimento espiritual.

Esse programa educativo evitaria a *criança interior ferida* pela negligência ou superproteção dos pais, facultando-lhe um desenvolvimento compatível com o nível de evolução em que estagia cada Espírito.

O conceito de culpa seria examinado sem castrações, demonstrando que é perfeitamente normal a sua presença, resultado inevitável do *cair em si* após comportamentos irregulares, aceitando-a e liberando-a por intermédio da reabilitação, do processo de recomposição dos danos que foram causados pela presunção ou pela ignorância.

Uma vida saudável estrutura-se no ser e não naquilo que se tem e com frequência muda de mãos.

O ter e o poder transformam-se em algozes do indivíduo, porque se transferem do estado de posse para tornar-se possuidores, escravizando-o na rede vigorosa do egoísmo e dos interesses subalternos. Produzem conceitos falsos nos relacionamentos humanos, porque dão a impressão de que não se é amado, sendo que, todos aqueles que se acercam estão mais interessados nos seus recursos do que naquele que lhes é detentor. De certo modo, infelizmente assim ocorre na maioria das ocasiões, havendo exceções respeitáveis.

O indivíduo não é o que tem ou que pensa administrar, mas são os seus valores espirituais, a sua capacidade de amar, os tesouros inalienáveis da bondade, da compaixão, do sentido existencial.

Em face da ilusão em torno da perenidade da vida material, os apegos às posses levam aos conflitos, à insegurança, às suspeitas, muitas vezes, infundadas, porque eles são fugidios e o que proporcionam é de efêmera duração. Sai-se de uma experiência dominadora para outra mais escravista, tendo os interesses fixados no *ego* e nos fenômenos dele decorrentes, quais sejam a ambição de mais ter e de mais poder, responsáveis pela prepotência, pela arrogância, que são seus filhos espúrios, em vez da luta para conseguir alcançar a realidade interna.

Quando há uma preocupação real pelo autoconhecimento, interpretando as ocorrências normais como necessárias ao processo da evolução, a saúde integral passa a fazer parte do calendário emocional daquele que assim procede.

Esse processo obriga o impositivo da ligação com a alma, o que equivale a dizer, uma constante vigilância com o ser profundo, o ser espiritual que se é, e não pela aparência de que se veste para a caminhada terrestre.

No passado, as religiões tradicionalistas, e ainda hoje, criaram e prosseguem gerando cultos e cerimônias externas que se encarregam de manter visualmente a vinculação, estabelecendo dogmas em torno delas, responsáveis pelo temor e pela submissão. Sendo positiva a proposta, perde o seu significado e torna-se perturbadora pela imposição sacramental e rigorosa, de caráter compensatório ou punitivo.

No caso das compensações, dá lugar a uma sintonia falsa, vinculada ao interesse dos benefícios advindos com a prática exterior, o que impede a ligação interna, profunda, significativa.

No referente às punições, compromete o adepto, que se preocupa mais com a forma do que com o conteúdo, e aqueles que são sinceros, tornam-se *tementes* em vez de *conscientes* em torno dos resultados psicológicos da identificação com o *Si-mesmo*. No entanto, uma análise

Em busca da verdade

descomprometida com o formalismo religioso ou com as denominações estabelecidas na área da fé, permite que, na Bíblia, esse notável manancial de inspiração e de sabedoria, separado o *trigo do joio*, encontrem contribuições valiosas para a interpretação de conflitos e orientações necessárias ao bem-estar, em aforismos e lições de beleza ímpar, nos seus arquétipos e mitos muito bem estabelecidos, que podem ser interpretados e integrados ao eixo *ego–Self*.

Mediante esses ensinamentos é possível pela reflexão voltar-se para o mundo interior, encontrar-se a *residência* da alma, conviver-se com as suas necessidades não perturbadoras.

Nesse cometimento, o amor exerce um papel preponderante porque somente através dele se podem alcançar os painéis da alma, da alma que dele necessita para expandir-se, atingindo a sua finalidade evolutiva.

Através desse esforço contínuo, redescobrindo-se a criança interior saudável, que inspira ternura e amizade, despida de malícia e de ideias preconcebidas, logra-se um estado interno de harmonia, porque a ausência de suspeitas e de insegurança proporciona o bem-estar responsável pela felicidade.

A criança expressa uma confiança no adulto que ultrapassa os limites da razão. Aquilo que esse lhe promete ou lhe faz assinala-lhe fortemente a personalidade em formação, o caráter em desenvolvimento, e porque não é portadora de incertezas, entrega-se totalmente, deixando-se conduzir.

Alguém afirmou com beleza rara, que diante da criança sempre se encontrava diante de um deus...

É certo que o Espírito, em si mesmo, não é criança, mas a forma, a indumentária que o reveste, proporcionando-lhe o esquecimento do ontem e ensejando-lhe a ingenuidade do hoje para a sabedoria do futuro, proporciona essa ternura e afeição que a todos comove.

Tudo quanto, pois, se instala no período infantil, permanece durante toda a existência.

Quando de um dos muitos terremotos que abalam periodicamente a Turquia, houve o desabamento de uma escola infantil onde se encontravam dezenas de crianças, todas as providências foram tomadas no sentido de ainda resgatá-las com vida. Após dias de trabalho exaustivo, os especialistas chegaram à conclusão de que, em face do tempo transcorrido, mesmo que se chegasse até elas, seria tarde demasiado, porque todas estariam inevitavelmente mortas.

Um pai, no entanto, escavando, pedindo ajuda, informando que tinha certeza de que seu filho e outros haviam resistido e se encontravam com vida.

Já não havia mesmo esperança, e os trabalhadores vencidos pelo cansaço começaram a desistir, menos o pai.

(...) Por fim, após esforços hercúleos, abaixo do desmoronamento, havia uma brecha, e logo se pôde perceber que algumas crianças estavam sob vigas que se sustentaram umas sobre as outras, permitindo-lhes espaço para respirar e viver.

O genitor aflito chamou pelo filhinho, que lhe respondeu: – *Eu tinha certeza de que você viria, papai.*

A seguir, estimulou todas as crianças a serem retiradas, ficando em último lugar, porque sabia que o seu pai não desistiria enquanto ele não fosse libertado.

Em busca da verdade

O pai tinha o hábito de dizer-lhe que confiasse sempre no seu amor e nunca temesse qualquer dificuldade, porque ele estaria onde quer que fosse para o proteger e amparar.

Essa confiança, a criança transferiu aos amiguinhos, conseguindo sobreviver pela certeza, sem qualquer sombra de dúvida de que o pai os salvaria...

No sentido inverso, quando a criança é estigmatizada, punida, justa ou injustamente, embora nunca seja crível uma punição infantil denominada justa, ela absorve as informações e castigos, passando a não acreditar em seus valores, não experimentando estímulo para avançar, crescer e prosseguir, porque, *mortalmente ferida*, carrega a *marca*, tornando-se rebelde, cruel, cínica, destituída de sentimentos bons, que estão asfixiados sob o lixo da perversidade dos pais ou dos adultos que a insultaram, menosprezaram, condenaram-na...

O ser é, portanto, a grande proposta da Psicologia, no sentido profundo ainda do *vir a ser*, conscientizando-se das incomparáveis possibilidades que se lhe encontram adormecidas e que devem ser despertadas pelo amor, pela educação, pela convivência social, a fim de que atinja a individuação.

A *realidade da psique* propõe, portanto, o desenvolvimento das possibilidades existenciais que se encontram em germe em todos os seres, crescendo no rumo da realidade e do saudável comportamento, para alcançar o patamar de um ser integral, portador de saúde total.

A conquista da *consciência humana iluminada*, conforme propunha Jung, *rompe a cadeia do sofrimento, adquirindo assim significado metafísico e cósmico.*

Romper essa *cadeia do sofrimento* representa manter uma conduta superior, elegendo o que fazer ao próximo, conforme recomendava Jesus, nunca revidando mal por mal, por ser a única terapêutica possuidora do valioso recurso de gerar tranquilidade interior.

Quando os adultos compreenderem esse significado, não transferirão para os filhos as suas próprias *feridas emocionais*, amando-os integralmente e apresentando-lhes a alma, o ser *metafísico e cósmico*.

Todo o empenho, pois, deve ser aplicado na busca do ser e não do ter...

As parábolas a respeito da ovelha que se perde assim como da dracma que desaparece dizem respeito ao ter, convidando ao encontro para o equilíbrio da posse, a que se dá extremada importância na vida social.

No entanto, Jesus, após enunciá-las, coroou a Sua proposta iluminativa, respondendo àqueles que O perseguiam porque convivia com as misérias alheias manifestas dos aflitos e desamparados, ensinando a importância de ser e não de ter, a coragem de *cair em si*, de recuperar-se, de encontrar-se...

6

O SER HUMANO EM CRISE EXISTENCIAL

AS CONQUISTAS EXTERNAS • A GRANDE CRISE EXISTENCIAL •
O SER HUMANO PLENO

As incomparáveis conquistas nas diversas áreas do conhecimento e do pensamento contemporâneo trouxeram bênçãos incontáveis para a vida em todas as suas expressões na Terra.

Os avanços da Sociologia, por exemplo, ampliaram os horizontes da fraternidade, dos direitos humanos, ainda não respeitados conforme foram propostos, demonstrando a excelência da comunhão espiritual entre as criaturas.

Lamentavelmente, porém, as duas grandes guerras perversas que assinalaram o século XX, cujos efeitos dolorosos a sociedade atual ainda experimenta, facultaram demonstrações de primitivismo e de atraso moral das criaturas humanas, que parecem haver regredido, em determinados segmentos, ao período primevo da evolução, tal a crueldade que as caracterizou.

Um dos momentos excruciantes foi aquele que assinalou a explosão atômica sobre a cidade de Hiroshima, no Japão, no dia 6 de agosto de 1945, tornando-se a fronteira do passado em relação ao presente-futuro, com o surgimento do período denominado como pós-industrial ou pós-modernidade, conforme conceitos exarados muitos especialmente por Émile Durkhein, o filósofo francês da educação.

Essa fase, que se torna cada vez mais perturbadora nas mentes e nos comportamentos, responde pela perda emocional de valores de alto porte, que vêm reduzindo o ser humano à condição robótica.

De um lado, a evolução da Ciência e da Tecnologia, e do outro, o isolamento em relação ao grupo social, as mudanças drásticas a respeito da vida e do seu significado, diante dos mentirosos padrões elegidos como ideais para o bem-estar e a felicidade.

A extraordinária contribuição virtual facilitou a comunicação, a tomada de conhecimento de ocorrências *on--line*, no mesmo momento em que vem acontecendo em toda a Terra, ao tempo que a soma de disparates e de estímulos à violência, ao ódio, ao racismo, ao crime, ao suicídio, às mudanças de conduta, aturde e domina internautas desavisados ou menos resistentes moralmente.

Relações amorosas suspeitas estabelecem-se, dando largas à fantasia e à ilusão, com a consequência de lares e de vidas que se estiolam através de personalidades psicopatas, destituídas de sentimento de elevação, que se utilizam do recurso para esconder-se, dando vazão às paixões soezes...

O culto ao corpo e ao prazer, o desvio das funções sexuais, a mentirosa vitória na telinha com os seus poucos e desvairados *quinze minutos de fama*, enlouquecem a juventude ansiosa e sem rumo, que busca o fácil através da

Em busca da verdade

venda ignóbil da inocência, antecipando as experiências humanas dolorosas no período juvenil, quando ainda não tem robustez para os enfrentamentos, fanando-lhes as esperanças de maneira insensível...

O tempo rápido, em razão da necessidade de a tudo participar, de estar a par das ocorrências, asfixiando a liberdade de pensamento e de movimentação, culmina em tormentosa ansiedade e frustração dolorosa, empurrando para o abismo da depressão ou da revolta as suas vítimas inermes.

A falta de comunicação verbal e escrita, de contato humano sem suspeição nem deslumbramento, facultando relacionamentos saudáveis, conduz as pessoas para os interesses egoicos, sem nenhuma participação na convivência com os demais, como fruto espúrio dessa pós-modernidade doentia e sem significado psicológico.

Corpos belos trabalhados por excesso de musculação, *sarados*, e interiormente vazios de aspirações e de significado, dão lugar a condutas extravagantes, que elevam à glória equivocada e derrubam em ritmo acelerado aqueles que foram arrastados pelas fantasias dos seus apaniguados.

Com as exceções compreensíveis, vive-se o período no qual a sociedade encontra-se enlouquecida, buscando coisa nenhuma, em razão da transitoriedade das conquistas e do imediato vazio existencial, que envelhecem e envilecem com rapidez os seus adeptos apaixonados e embriagados pelo licor dos sentidos físicos...

As mudanças de humor contínuas e a debandada dos compromissos éticos, que dão sentido à vida, caracterizam com perfeição esta fase de incertezas.

Indiscutivelmente, o ser humano encontra-se em crise existencial.

A falta de identificação entre o *ego* e o *Self* produz a ausência de discernimento a respeito do existir e de como proceder, dando lugar à dominação da *sombra* ignorada em todos os comportamentos.

Por consequência, aumenta o número de infelizes e de infelicitadores com a sua patologia maldisfarçada.

Esta experiência individual e coletiva, no entanto, é indispensável ao amadurecimento e à evolução do ser humano, que se apartou de si mesmo, buscando fora a alegria que somente se encontra nele próprio. Ninguém pode proporcionar felicidade e bem-estar reais, porque essas emoções independem de circunstâncias externas, embora muitos pensem ao contrário. São sensações que se expressam como emoções e logo cedem lugar aos transtornos, às frustrações e amarguras quando o objeto ou pessoa propiciadora do prazer altera a sua conduta ou se desinteressa em continuar no que ora se lhe apresenta como tedioso.

Contribuindo de maneira habilmente proposital, a mídia cria ídolos e devora-os, a cada instante, exaltando o crime e os criminosos que se lhe tornam manchete contínua, exaurindo os clientes, especialmente através da televisão, nas repetições exorbitantes das cenas de horror, nos julgamentos arbitrários daqueles aos quais atribui a responsabilidade pela desgraça, no estímulo à *justiça pelas próprias mãos*, encorajando psicopatas adormecidos a se tornarem famosos pela utilização dos hórridos espetáculos exibidos...

O despudor agressivo que arrebata as multidões, especialmente acompanhando as cenas de deboche nos

Em busca da verdade

aplaudidos programas de degradação humana, para a conquista da fama pela imoralidade e do dinheiro pela perda da dignidade, favorece o surgimento de múmias morais, que são os seres destituídos de emoção e de sensibilidade que a tudo se submetem para atingir as metas estimuladas pelo mercado do sexo e da drogadição...

Naturalmente encontram-se incontáveis labores de elevação moral e dignificação da criatura humana, ainda insuficientes, no entanto, para conduzir a grande massa ao caminho do discernimento e da saúde real.

São esses nobres exemplos de fidelidade ao dever e de continuidade da ação edificante que contribuem para equilibrar a balança moral do planeta humano, com os braços distendidos para o socorro aos tombados, para a minimização do desespero dos fracassados, para a solidariedade junto aos abandonados pelo triunfo mentiroso.

Eles comprovam que o ser humano está fadado à ascensão e que o estágio inferior em que se compraz é transitório, por mais que dure, ensejando-lhe a experiência vivencial para a construção da sua individuação.

A conquista dessa individuação é como um parto. Todos os partos doem, mesmo aqueles denominados sem dor... Portanto, as dores íntimas e as faltas consideradas importantes, mas sem valor real, são o período de gestação para o parto da plenitude.

Inevitavelmente, o ser humano traz o mito do significado, e mesmo incapaz de o identificar, momento chega em que a nuvem anestesiante do prazer desaparece ante o sol da realidade, ei-lo impulsionando para o avanço interno, a compreensão da mensagem do viver e do crescer psicologicamente.

As conquistas externas

O processo de evolução antropológica tem sido um extraordinário desafio da vida, produzindo mudanças nas formas e funções orgânicas, facultando o desenvolvimento das faculdades mentais até o momento em que alcançou a formidanda área da inteligência e dos sentimentos. Não é por outro motivo que o instinto, na sua inteireza, é já uma forma de inteligência embrionária, por criar os condicionamentos que, mais tarde, a razão irá ampliar até proporcionar a compreensão dos conceitos sutis e das abstrações...

Os impositivos para a sobrevivência desenvolveram os instintos agressivos que predominaram no ser humano por milênios e, quando ocorreu a conquista dos pródromos da razão e o seu estabelecimento no cerne do Espírito, aquelas heranças prosseguiram com forte domínio no comportamento. A libertação lenta do primarismo e a aspiração do belo e do nobre, o *Deotropismo* se vêm impondo de forma que a consciência hoje pode administrar os impulsos violentos, orientando-os para as ações de edificação, sem traumas nem conflitos.

Nada obstante, o individualismo, esse filho dileto da conquista do materialismo, que se rebelou contra as imposições absurdas do religiosismo exterior, sem significados internos, expressa-se, na atualidade, como forma de uma incompleta autorrealização, impulsionando o indivíduo a ter, a destacar-se, a obter o que deseja de qualquer maneira, tornando-se consumista insaciável e inquieto.

Em face desse instalado pós-modernismo, à Ciência atribuem-se valores e significados quase divinos, parecendo incorruptível e insuperável, ao tempo em que as referências pessoais nos relacionamentos que não se apro-

Em busca da verdade

fundam, mantendo-se sempre na superficialidade, tornam as afeições descartáveis, como tudo quanto se compra na sede voraz de possuir.

Os afetos fazem-se ligeiros e amedrontados, oportunistas e descomprometidos, com medo, cada qual, de ser dominado pelo outro, evitando submeter-se, o que se caracteriza como pequenez, falta de personalidade, risco de perda, quando se estabelece a dependência...

A tremenda confusão entre afetividade e interesse sexual, entre amor e compensações sentimentais, é responsável pelo desinteresse da convivência fraternal saudável, destituída de interesses subalternos, deixando-se a *sombra* dominar todos os espaços do *ego*, ao tempo em que não se abrem as possibilidades psicológicas do *Self* para a realidade.

As artes, que sempre têm expressado o estágio evolutivo, político, comportamental da sociedade, nestes dias conturbados, são agressivas e destituídas, em muitas áreas, de propostas elevadas de beleza, expressando apenas os conflitos, as aspirações doentias, a revolta e o desânimo dos seus portadores. A música, por exemplo, descendo do pedestal das musas, enveredou pela contracultura, pelos desvãos da ironia, da perversão moral, do deboche, da agressividade, do duplo sentido com destaque para o pejorativo, como se o ser humano devesse sempre reagir, mesmo quando pode agir, se deixasse tombar no vale do desespero, quando poderia aspirar pela alegria real de viver, modificando o *status quo* e contribuindo para o mundo melhor, onde é possível a vida expressar-se em harmonia e grandeza.

Impossibilitados de conduzir os povos, por se haverem perdido nas malhas da burocracia e nos interesses partidários, os governantes da Terra, aturdidos, demonstram não saber o que fazer nem como realizá-lo. Permitem a desorientação das massas, a sua revolta contínua, por esquecimento das responsabilidades não cumpridas e que foram apresentadas nos seus programas eleitoreiros, enganando o povo desorientado.

Surgem, então, revoltas, revoluções, amolentamento do caráter e perda da moral, com reações em cadeia, cada vez mais violentas e ameaçadoras, porque os limites da ordem e do respeito foram superados pela não fronteira da rebeldia.

Os esportes, que sempre constituíram oportunidades excelentes para catarses coletivas, competições saudáveis, alegrias e entusiasmo coletivo, transformaram-se em fontes mafiosas de domínio e de conquistas financeiras, construindo deuses frágeis que logo tombam do pedestal, tornando-se campo de batalha pelas torcidas ferozes que se digladiam com frequência em sucessivos espetáculos deprimentes que culminam com a morte de alguns dos seus fanáticos...

O desrespeito pelos valores internos do ser humano propõe a significação das suas conquistas exteriores, tornando-o avaro e pretensioso.

A falta de concentração das pessoas nas questões importantes do ser interior tem contribuído para a futilidade em triunfo e o desconhecimento da própria realidade, supondo ser a existência esse enganoso passeio fantástico pelo país da pressa dourada, em que tudo é de efêmera duração, impedindo a reflexão e o encontro com a cons-

Em busca da verdade

ciência, com o *Si-mesmo*. Essa *sombra* teimosa consegue separá-las do *Eu divino* que existe no íntimo e de que se constitui, sendo necessário transmudar esse material inferior num processo alquímico emocional, para realmente encontrar o significado existencial.

Ter em mente a presença da *sombra*, a fim de vencê--la, torna-se uma necessidade psicológica inadiável, como sucede nos contos de fadas, nos mitos ancestrais, facultando a liberação do ser oculto, misteriosamente transformado pela magia da ignorância (*A bela e a fera*, *O príncipe sapo*, *Branca de neve*, *A bela adormecida* etc.).

Com essa consciência, fica muito claro que não adiantam as lutas externas, os combates inglórios contra os outros, a ânsia de superar os competidores, o afã de ultrapassar os demais, por insegurança pessoal, facultando-se encontrar e viver-se o sentido da vida. Ninguém pode viver de maneira saudável sem o culto interno da integração da fé religiosa com a razão, numa harmonia estimuladora ao prosseguimento dos embates inevitáveis do dia a dia, haurindo confiança nos momentos difíceis e renovando a coragem ante a ameaça do desânimo. Esse sentido da vida não pode ser desenhado pelos hábitos externos, mas construído de maneira subjetiva, idealista, interior, mediante o enriquecimento das aspirações que engrandecem a existência. É impossível, de maneira definitiva, viver-se sem o sentimento dos conceitos eternos, daqueles que dão dignidade à criatura humana, proporcionando-lhe ética e moralidade para ser fiel aos objetivos existenciais.

Com essa percepção, descobre-se que os conflitos, as aflições em torno das posses e o medo de perdê-las são fenômenos pessoais interiores da própria insegurança, levando a transtornos de comportamento e a distúrbios orgânicos repetitivos.

A legítima psicoterapia objetiva conduzir o indivíduo ao redescobrimento da sua realidade, da sua origem espiritual, da finalidade existencial, do seu futuro imortal, que se lhe transformam em alicerces de segurança para as lutas contínuas, evitando a projeção dos seus conflitos nos outros, assumindo a culpa e liberando-a do inconsciente em que jaz produzindo *sombra* e desar.

Quando Jesus enunciou que é necessário tomar a sua cruz e segui-lO, Ele propôs a conquista da autoconsciência, a definição para assumir as próprias responsabilidades, em vez de permanecer-se divagando em torno de como encontrar o melhor processo para o equilíbrio, que não se expressa em formas exteriores ou mediante as fugas de transferência de responsabilidades, ou para os prazeres que se extinguem, por mais se prolonguem...

A psique necessita de apoio transcendente para proporcionar elementos dignificadores, por intermédio da realidade em que todos se encontram mergulhados, elegendo aqueles que são mais compatíveis com as aspirações e as possibilidades de execução.

Todos dependem de Deus, porque, afinal, estamos mergulhados em Deus, sendo necessário reconhecê-lO em nós, a fim de que O manifestemos por intermédio do comportamento emocional e das ações sociais, familiares, espirituais...

Quando indagaram a Jung se ele acreditava em Deus, respondeu com humildade e sabedoria, que não necessitava de crer, informando: – *Eu sei, não preciso acreditar...*

Em busca da verdade

Há uma contínua batalha para definir-se Deus e atribuir-Lhe exclusivamente caráter religioso, limitando-Lhe a grandeza, o que faculta àqueles que pensam e se libertaram das crenças ligeiras, negá-lO, porque a sua visão é mais ampla e abrangente do que a limitada proposição do fanatismo religioso. Se for considerado como a vida, por exemplo, passa a existir naquele que O imagina, porquanto a Sua realidade somente pode ser aceita pela consciência depois que se começa a concebê-lO.

Sem um valor maior, que mereça investimento, ninguém se arvora à luta, ao sacrifício, porque tudo superficial logo perde o sentido. É semelhante a determinados tipos de metas humanas, que são imediatas, como conseguir coisas, posses, amealhar fortuna, conviver com pessoas, e ao alcançá-los, terminando o objetivo, surgem as frustrações e os desencantos.

Há pais que se entregam à educação dos filhos, depositando neles todas as suas aspirações e também insatisfações, esperando compensação quando os mesmos adquiram a idade adulta. Quando essa ocorre, e os descendentes são convidados a seguir a própria existência, atormentam-se, acreditam-se abandonados, sofrem depressões, perdem o sentido existencial...

O significado da vida não é esse compromisso breve da existência.

Mas o mesmo fenômeno ocorre com o trabalho, com a carreira profissional, com as aspirações políticas e culturais, artísticas e religiosas... Alcançado o patamar programado, a ausência de nível mais elevado conduz ao tédio, ao desinteresse, à perda de sentido da vida...

Isto porque a educação infantil é feita de ilusões que escravizam e se transformam em metas primordiais, tornando-se uma proposta neurótica e destituída de significado. Descobrir o destino e trabalhá-lo, programar essa fatalidade honorável e saudável é o objetivo da vida, aquele que proporciona saúde integral, porque não é conquistado de um para outro momento, não se reduz a encantos transitórios, não é monótono, apresentando-se sempre novo e situado um passo à frente.

À medida que a religião enfraqueceu nas famílias, o desinteresse pelo ser espiritual igualmente padeceu atrofia emocional, deixando-se que cada um eleja, quando oportuno, o seu conceito de vida e de espiritualidade, como se fosse crível permitir-se que alguém primeiro se contamine de alguma enfermidade para depois expor-se aos perigos que a mesma proporciona.

A criança deve sentir o valor da família, compreender o significado desse grupo social reduzido, a fim de poder conviver com aquela outra, a social e ampla, com ideias religiosas liberais e enriquecedoras, a fim de amadurecer psicologicamente com segurança e respeito pela existência.

Uma visão infantil bem trabalhada pelos pais e educadores permanecerá conduzindo-lhe a vida para toda a existência. Os diferentes símbolos de cada fase etária serão decodificados e transformados com naturalidade sem choques nem perdas, substituídos por outros mais oportunos e significativos, que abrirão espaço para o encontro com a realidade existencial desvestida de fantasmas e de *bichos-papões*.

Em busca da verdade

Os mitos pessoais, as fantasias, os complexos e os sonhos não realizados, quando se expressam naturalmente, são superados pelas conquistas do discernimento e da razão, da contribuição da psique, unindo as duas fissões numa só significação.

A GRANDE CRISE EXISTENCIAL

Embora os conflitos que a fé religiosa produziu em muitas vidas, no passado, especialmente nos já longínquos dias da idade média, nos quais prevaleciam a ignorância, o temor e o absolutismo do poder clerical, o arquétipo espiritual tem sido uma necessidade para o desenvolvimento psicológico do ser. Lamentavelmente, personalidades psicopatas, na sua grande maioria temerosas da vida e portadoras de conflitos, refugiam-se nas doutrinas religiosas, como noutras áreas da sociedade, mas especialmente nas primeiras, ocultando os seus dramas e medos, ao tempo que, em nome da salvação, castram os valores intelectuais e a sensibilidade dos crentes, submetendo-os aos seus caprichos e insânia.

Proíbem tudo quanto pode proporcionar-lhes alegria de viver, liberdade de pensamento, ampliação do sentido da vida, exaltando a experiência humana, porque se encontram conturbados e invejam os saudáveis. Condenam tudo quanto lhes constitui sofrimento, pela covardia que os caracteriza em relação ao *autoenfrentamento*, preferindo a *sombra* à plenitude do *Self.*

Toda religião, no seu significado profundo, objetiva religar a criatura ao seu Criador, o que representaria estabelecer o eixo pleno *ego–Self,* o ser aparente com o real, proporcionando-lhe condições de saúde e de paz.

Em vez disso, as mentes atormentadas e mal desenvolvidas, os Espíritos angustiados, autossupliciando-se, como se os seus corpos fossem os responsáveis pelos pensamentos e conflitos resultantes da fissão da psique no *anjo* e no *demônio*, com predominância desse último, em face das tendências tormentosas não vencidas, evitavam o mundo e o odiavam em conduta masoquista.

É natural que o desenvolvimento da sociedade e as conquistas da inteligência, a partir do período industrial, da revolução inevitável imposta pelo progresso, voltassem-se para combater esse parasitismo emocional e retrocesso cultural, abrindo portas a novas experiências e desmistificando as informações fantasistas das condenações infernais e das punições divinas.

Lentamente, mas com segurança, as filosofias do positivismo, do existencialismo e do niilismo encarregaram-se de apresentar o lado agradável da existência, as belezas que existem em tudo e em toda parte, as concessões formosas do prazer e do ter, as novas experiências do conhecimento, arrebatando as multidões.

Ao mesmo tempo, a ampliação dos conceitos em torno do Universo e sua incomparável grandeza, afastou os antigos fregueses das religiões dos arraiais da fé para a convivência com outro tipo de realidade que desmentia suas afirmações, agora fáceis de ser comprovadas, dando lugar ao cepticismo, à crítica mordaz dos seus textos e dogmas, bem como ao inevitável abuso defluente dos excessos.

A hipocrisia religiosa não pôde suportar a realidade dos comportamentos humanos rompendo os limites que lhes foram impostos multimilenarmente, atirando-se com

Em busca da verdade

sede excessiva nos usos que se transformaram em abusos de consequências igualmente danosas.

Os avanços da Ciência apoiada na Tecnologia dignific a vida, facultando uma visão otimista e encantadora da existência humana, aumentando o seu poder até chegar aos extremos de tornar-se onipotentes, de tal modo que nada se faz sem o seu concurso, chegando-se mesmo a considerá-las os novos deuses do panteão cultural da atualidade.

A era industrial revolucionou todos os padrões de comportamento então vigentes, e o ser humano lentamente submeteu-se às máquinas que concebeu e criou, tornando-se-lhes servos obedientes.

A ganância de possuir mais ampliou o seu desempenho, fascinando os governos das nações poderosas que enlouqueceram pelo fascínio de mais conquistar, submetendo, lentamente, os demais povos à sua dominação arbitrária, disfarçada ou não, por meio das falsas ajudas aos países em desenvolvimento, explorando-os e escravizando-os, utilizando-se da política arbitrária e de mecanismos perversos de controle por intermédio das suas agências de espionagem e de corrupção, atingindo culminâncias de glórias e de recursos, quais ilhas fantásticas no meio de oceanos de miséria à sua volta. De igual maneira, com habilidade e sem escrúpulo, fomentaram as guerras de extermínio, em nome de suas raças prepotentes, decantadas como superiores pela cor da epiderme, pelo sangue, pela tradição...

O ser psicológico, porém, é livre, mesmo quando se encontra submetido a circunstâncias e situações indignas e escravistas. A *sombra* predomina na conduta, mas o

Si-mesmo permanece orquestrado pela esperança e pelas aspirações de liberdade e de triunfo.

Pôde-se observar essa situação conflitiva nos campos de concentração de trabalhos forçados e de extermínio, quando judeus, colocados como *kapos*, para vigiarem seus irmãos de raça, apresentavam, não poucas vezes, mais crueldade do que a dos seus indignos comandantes.

Narra-se um desses momentos, quando um *kapo* luta tenazmente com um pai, para que esse lhe dê o filho para ser encaminhado à câmara de gás. No esforço desenvolvido pelo genitor da vítima, esse gritou-lhe: – Você não tem filho, para ter uma ideia do que é perder-se um de forma tão malvada? E ele respondeu trêmulo: – Sim, é claro que tenho. Por isso sou obrigado a eleger cinco crianças para a câmara, conforme solicitaram-me, ou o meu filho irá no lugar vazio...

A *sombra* alucinada não tem dimensão da própria loucura, e o *ego* torna-se de uma crueldade sem limite.

Vale a pena recordar outro terrível momento de crueldade e infâmia no período em que a Polônia sofria o drama do holocausto, quando os sicários solicitaram a um rabino do gueto que selecionasse expressivo número de judeus para as câmaras de gás, e ele, ameaçado, optou pelo suicídio na difícil situação, não se tornando algoz dos seus irmãos. A outro, que o substituiu, foi feita a mesma absurda proposta, e ele viu-se na contingência de eleger os que seriam assassinados, constatando depois que fora ludibriado pelos agentes da crueldade...

Muito difíceis soluções em circunstâncias dessa natureza, quando o *Self* perde a dimensão da sua espiritualidade e deixa-se dominar pelo *ego* da sobrevivência física ao co-

Em busca da verdade

mando da *sombra* e dos arquétipos da esperança, da felicidade e do significado, passadas aquelas horas intermináveis...

A perda do sentido espiritual e religioso produziu seres insensíveis, cruéis e sem nenhum compromisso com a vida e os valores transcendentais, resultando na situação deplorável da ausência de respeito por si mesmos, pelos demais e por tudo, incluindo a Natureza.

Esse desvario, num crescendo alucinado, proclama o prazer pessoal acima de todas e quaisquer circunstâncias, apelando mesmo para a morte, quando aparentemente surge qualquer ameaça ao seu *ego* exacerbado, que exige prazer até a exaustão.

Não é outro o fenômeno que diz respeito ao aborto provocado, como instrumento de libertação da responsabilidade e do trabalho, embora sabendo-se que a coabitação sexual, como é natural, leva à concepção que poderia ser evitada pelas pessoas egoístas que não desejam compromissos e se equivocam, pensando sempre no Eu insensível até o momento futuro da solidão e da amargura...

De igual maneira, o crime da eutanásia, quando o paciente não deseja experimentar o processo degenerativo, os fatores decorrentes das enfermidades, as situações purificadoras pelo sofrimento, exigindo a interrupção da própria existência, em terríveis atos suicidas assistidos, ou quando a família resolve pela interrupção da vida de um dos seus membros que lhe exaure os recursos com os procedimentos médicos de alto custo...

Ao lado desses terríveis algozes psicológicos da sociedade contemporânea, que sofre os efeitos dessas amargas decisões, o suicídio cresce em estatística, em razão do niilismo que tudo reduz à consumpção da vida pela morte.

Uma sociedade que mata fetos indefesos, idosos e enfermos irrecuperáveis e justifica-se, como pode tornar-se fraterna e solidária? Como quebrar esse gelo emocional de mulheres e de homens interessados apenas no momento fugaz pelo qual transitam, sem pensar na própria situação logo mais?

Não seja de estranhar a tragédia do cotidiano, a crise existencial que toma conta dos indivíduos e da sociedade.

Uma nova *religião psicológica*, sem cultos nem dogmas, lentamente surge, a partir da visão holística de Jung, que vivenciou experiências mediúnicas inumeráveis com a jovem prima Helena Preiswerk, na intimidade do lar, na *personificação* que o dominava uma que outra vez, revendo-se como alguém do século anterior.

O Espiritismo, por sua vez, doutrina profundamente positivista, fundamentada nas experiências psicológicas e transpessoais da imortalidade do ser, do seu triunfo sobre a morte, da multiplicidade das existências, respondendo pelo conhecimento arquivado no *inconsciente coletivo*, oferece as certezas para o avanço do ser que se é, sem dúvida o verdadeiro *imago Dei*, no rumo de Deus...

Com certeza, Aquele que está acima das descrições bíblicas, que somente dão uma pálida ideia arquetípica da Sua realidade, que supera a conceituação antropomórfica, abarcando o Universo como Causalidade e Fatalidade de tudo e de todos.

O autor da Psicologia Analítica afirmou com ênfase: *"Através da minha experiência, eu conheço um poder maior do que meu próprio ego. Deus – é o nome que dou a esse poder autônomo"*, portanto, fora dele e dominante nele.

Em busca da verdade

Ora bem, para que a culpa apareça, torna-se necessária a presença de Deus na consciência, mesmo que sem dar-se conta, porque é através da Sua transcendência que o indivíduo possui o padrão interno do que é certo e do que é errado. Ei-lO, pois, ínsito no mais profundo abismo do *Si-mesmo*.

Na sua obra monumental, *Aion*, ainda se refere o admirável mestre: *"Cristo é o homem interior a que se chega pelo caminho do autoconhecimento".*

Esse Cristo ou estado crístico logrado por Jesus, na Sua condição de Médium de Deus, foi alcançado pelo apóstolo Paulo e por muitos discípulos que se Lhe entregaram em regime de totalidade, e ainda pode ser logrado quando se atinge o estado numinoso, tornando-se livre dos processos reencarnatórios, das injunções penosas do corpo, das circunstâncias impositivas da evolução.

Auxiliar, na conquista desse estado, é missão da psicoterapia profunda, trabalhando o ser integral, rompendo a concha grosseira em que a *sombra* muitas vezes se oculta, evitando ser identificada.

Dessa crise existencial que desestrutura o ser humano, transformado em máquina de prazer, que logo se desgasta e decompõe, surgirá uma nova proposta de humanização do ser, que se erguerá dos descalabros para a valorização do *divino* que nele existe, dos sentimentos que engrandecem, que elevam moralmente e dão real significado existencial, trabalhando-o para que, na condição de célula social, ao transformar-se para melhor, contribua para todo o conjunto.

Será, então, factível acreditar-se no mundo melhor, saudável e abençoado, onde seja possível amar e ser amado, construir para sempre sem medo e sem perda, conquistando o infinito que está ao alcance...

O SER HUMANO PLENO

Friedrich Nietzsche, dominado por terrível pessimismo, atormentado por contínuas crises de depressão e amargura, concebeu o *super-homem* como aquele que poderia vencer o niilismo e com a sua sede de poder tudo conquistar. Esse verdadeiro arquétipo que predomina em muitos indivíduos, estimulando-os à conquista desse símbolo representado na personagem fictícia americana do *Superman,* é um sonho atormentado que não encontra respaldo nos conteúdos psicológicos e somente vige na imaginação.

Ao conceber esse protótipo, Nietzsche não imaginou o modelo ariano como ideal, que, de certo modo, detestava, mas um alguém que superasse o *homem morto,* do *Assim falava Zaratustra,* que talvez não suportasse os imensos conflitos gerados à sua volta. Por algum tempo, esse conceito gerou incompreensão em torno do autor, quando sua irmã, aquela que conviveu com ele nos últimos tempos, ofereceu a Hitler uma bengala que lhe havia pertencido, deixando transparecer simpatia do filósofo pelo nazismo...

Idealizar-se um super-homem é tentativa frustrada de desprezar-se o homem e todas as potências que se lhe encontram em germe.

Porque o seu processo de experiências é realizado por etapas caracterizadas por incertezas e dificuldades, aspira-se, inconscientemente, à possibilidade mitológica de tornar-se alguém inacessível aos fenômenos dos sofrimen-

Em busca da verdade

tos, das angústias e da morte, conforme a concepção em voga em torno do *Superman*.

A conquista dessa robustez e grandeza moral somente é possível pela inversão de valores, que se apresentam no mundo exterior como portadores de poder e de glória, estando adormecidos no *Si-mesmo*, que deve ser conquistado com decisão, em processos vigorosos de reflexão e de ação iluminativa, de forma que nenhuma *sombra* consiga predominar na aquisição da plenitude.

A conquista de humanidade conseguida pelo psiquismo após os bilhões de anos de modificações e estruturações, transformações e adaptações, faculta, neste período da inteligência e da razão, a fantástica conquista do pensamento, essa força dinâmica do Universo que o sustenta e revigora incessantemente.

Não foi sem sentido psicológico profundo que o astrofísico inglês Sir James Jeans declarou: *O Universo parece mais um pensamento do que uma máquina*, coroando-se com a declaração do nobre Eddington informando que: *A matéria-prima do Universo é o espírito*.

Por isso mesmo, quando o ser humano autoexamina-se, percebe-se como um todo com possibilidades especiais independentes de qualquer outra condição externa, mas, ao abrir os olhos, dá-se conta do meio ambiente, das circunstâncias e das imposições sociais, tornando-se parte do conjunto, embora mantendo alguma independência. Surgem-lhe, então, as necessidades de autoafirmação, de autorrealização, buscando a integração no conjunto sem perder a sua identidade, a sua individualidade, o *Si-mesmo*.

Logo se lhe manifestam as ambições pelo poder, pelo ter, que o estimulam à luta, impulsionando-o a vencer os obstáculos que se interpõem na marcha, tentando dificultar-lhe a conquista dos seus objetivos.

A insistência de que dá mostra fortalece-o, auxiliando-o a definir os rumos do progresso, para logo depois, à medida que amadurece psicologicamente, dar-se conta de que essas conquistas do *ego* são interessantes, proporcionadoras de comodidade, de prazeres, porém insuficientes para sua plenificação.

Amadurecido, sem tormento de frustrações, mas por análise das ocorrências e das posses, descobre outra ordem de valores interiores, de aspirações mais significativas, de sentido mais lógico e grandioso para a existência, passando a aspirar pela plenitude, esse estado de *samadi*, preservando a dinâmica de intérmino crescimento.

Considerando-se que o processo de evolução é infinito, quanto mais consciente se encontra o ser humano, a mais aspira e melhores anelos trabalham-lhe o íntimo, porque a sua concepção da realidade é abrangente e compensadora.

Quem anda num vale tem limitada a visão, nada obstante a beleza da paisagem. A esforço, começando a ascensão montanha acima, amplia-se-lhe o horizonte observado, apesar de permanecerem distantes os contornos dos montes e dos abismos... No entanto, quando atinge o acume, sente-se triunfante e pequeno ante a grandeza do que abarca visual e emocionalmente, não se contentando somente em observar, mas em ser também parte significativa desse conjunto, que não existia para ele até o momento em que pôde contemplar...

O observador existe quando detecta o que antes não tinha vida para ele, que, por sua vez, passa a ser observado pelo que observa.

Em busca da verdade

No pandemônio dos conflitos existenciais, o ser humano apequena-se e parece consumido pelas situações psicológicas em que se vê envolvido, como alguém num vale em sombras, sem perspectivas mais amplas que lhe facultem os horizontes de infinita alegria e de bem-estar.

Os tormentos cegam a razão, o egoísmo limita os passos, estreitando as aspirações que pretendem abarcar tudo, sem possibilidade de fruí-lo, o que é lamentável, tornando o possuidor possuído pela posse possuidora...

Quando se liberta dos tentáculos que arrastam tudo de maneira constritora para o centro do *ego*, respira o oxigênio saudável da alegria inefável por estar livre das conjunturas tormentosas do ter e do temer perder, do ser admirado pelo que possui, não pelo que é, de ser visto como triunfador de fora, no que é admirado, mas raramente amado... Livre de qualquer tipo de dependência factual do cotidiano das coisas, pode voar pela imaginação e pelos sentidos em qualquer direção, sem medo nem ansiedade, porque se encontra pleno.

A *aventura* existencial é toda uma saga, e a moderna Psicologia Analítica, avançando com o progresso da Humanidade, oferece os recursos hábeis para as conquistas interiores valiosas, sem *bengalas* de sustentação, mas com reforços de lucidez e autoconhecimento para que seja alcançada a vitória sobre as injunções da caminhada orgânica.

É provável que esse avanço e tais conquistas não sejam conseguidos de uma só vez, mas paulatinamente, mesmo porque aquele que salta do vale abruptamente no topo do monte, usando veículo aéreo, sente a diferença atmosférica, o ar rarefeito, acostumando-se muito lentamente para poder beneficiar-se.

Psicologicamente, as mudanças interiores são também oxigenadas pelas experiências conseguidas nas fases anteriores, nos passos iniciais de sustentação das futuras conquistas, arregimentando recursos para mais audaciosos logros.

Despojar-se dos instrumentos de que o *ego* se vem utilizando para manter-se, de um para outro momento, causa-lhe transtorno inevitável, razão pela qual a integração com o *Self* deve dar-se naturalmente, de tal forma que haja equilíbrio, um perfeito estado de individuação.

Há pessoas que aspiram ao sacrifício, ao holocausto, num êxtase de fé *religiosa* para acercar-se mais de Deus.

Não é de crer-se que Deus assim o deseje, pois sendo a Sua a mensagem de amor, o autoamor faz parte da Sua agenda de evolução para todos.

Ocorrendo de forma não buscada, constitui oportunidade de sublimação, em que o *ego* cede lugar ao elemento divino nele existente. No entanto, o *sacrifício* pode ser visto como o abandonar das coisas, dos apegos que tanto agradam, trocando-os pela espiritualização libertadora, e o *holocausto* refere-se ao desprezo pelas paixões inferiores, pelos vícios que dão prazer, pelas pequenezes a que muitos se aferram, tornando-se de valor incontestável e grandioso.

Em uma página rica de sabedoria, Allan Kardec, em *O Evangelho segundo o Espiritismo*, no capítulo XVII, item 3, faz um retrato psicológico de *O homem de bem*, que traduz com perfeição a conquista do ser pleno.

Diz o Codificador do Espiritismo:

O verdadeiro homem de bem é o que cumpre a lei de justiça, de amor e de caridade, na sua maior pureza. Se ele interroga a consciência sobre seus próprios atos, a si mesmo

Em busca da verdade

perguntará se violou essa lei, se não praticou o mal, se fez todo o bem que podia, se desprezou voluntariamente alguma ocasião de ser útil, se ninguém tem qualquer queixa dele; enfim, se fez a outrem tudo o que desejara lhe fizessem.

Deposita fé em Deus, na Sua bondade, na Sua justiça e na Sua sabedoria. Sabe que sem a Sua permissão nada acontece e se Lhe submete à vontade em todas as coisas.

Tem fé no futuro, razão por que coloca os bens espirituais acima dos bens temporais.

Sabe que todas as vicissitudes da vida, todas as dores, todas as decepções são provas ou expiações e as aceita sem murmurar.

Possuindo o sentimento de caridade e de amor ao próximo, faz o bem, sem esperar paga alguma, retribui o mal com o bem, toma a defesa do fraco contra o forte e sacrifica sempre seus interesses à justiça.

Encontra satisfação nos benefícios que espalha, nos serviços que presta, no fazer ditosos os outros, nas lágrimas que enxuga, nas consolações que prodigaliza aos aflitos. Seu primeiro impulso é para pensar nos outros, antes de pensar em si, é para cuidar dos interesses dos outros antes do próprio interesse. O egoísta, ao contrário, calcula os proventos e as perdas decorrentes de toda ação generosa...

...O homem de bem é bom, humano e benevolente para com todos, sem distinção de raças, nem de crenças, porque em todos os homens vê irmãos seus...

...Não alimenta ódio, nem rancor, nem desejo de vingança; a exemplo de Jesus, perdoa e esquece as ofensas e só dos benefícios se lembra, por saber que perdoado lhe será conforme houver perdoado.

É indulgente para as fraquezas alheias, porque sabe que também necessita de indulgência e tem presente esta sentença do Cristo: — Atire-lhe a primeira pedra aquele que se achar sem pecado.

Não se compraz em rebuscar os defeitos alheios, tampouco em evidenciá-los. Se a isso se vê obrigado, procura sempre o bem que possa atenuar o mal.

Estuda suas próprias imperfeições e trabalha incessantemente em combatê-las. Todos os esforços emprega para poder dizer, no dia seguinte, que alguma coisa traz em si de melhor do que na véspera.

Não procura dar valor ao seu espírito, nem aos seus talentos, a expensas de outrem; aproveita, ao revés, todas as ocasiões para fazer ressaltar o que seja proveitoso aos outros...

...Usa, mas não abusa dos bens que lhe são concedidos, porque sabe que é um depósito de que terá de prestar contas e que o mais prejudicial emprego que lhe pode dar é o de aplicá-lo à satisfação de suas paixões...

...Finalmente, o homem de bem respeita todos os direitos que aos seus semelhantes dão as leis da Natureza, como quer que sejam respeitados os seus... (52.ª edição da FEB.)

Raramente se pode desenhar um ser humano pleno, conforme o notável educador lionês o fez, como notável psicólogo não acadêmico, mas Espírito incomum que conseguiu a individuação, tornando a sua existência um mundo luminoso para todos quantos se lhe acercaram, permanecendo a claridade dos seus ensinamentos como diretriz de libertação de consciências e de perfeita identificação dos mitos na realidade do ser, assim como o perfeito equilíbrio na vivência de inúmeros arquétipos, proporcionando sabedoria e paz.

7

A POSSÍVEL SAÚDE INTEGRAL

A Parábola dos Talentos • A conquista do Si • Binômio saúde/doença

À medida que o ser humano evolui, abençoado pelas extraordinárias conquistas da Ciência e da Tecnologia de ponta, mais aspira pelo bem-estar, pela saúde integral.

As incomparáveis realizações médicas, nos seus múltiplos aspectos, conseguiram tornar a existência terrena mais aprazível e digna de ser vivida, logrando debelar epidemias destruidoras que, periodicamente, ameaçavam de extinção a Humanidade, possibilitando o uso da anestesia e dos analgésicos em relação à dor, as cirurgias salvadoras, o combate aos vírus e bactérias destrutivos por intermédio de antibióticos poderosos... Do ponto de vista psicológico e psiquiátrico, diversos transtornos neuróticos, psicóticos e de comportamento puderam ser minimizados, e alguns curados, dignificando a criatura humana que jazia encarcerada nas prisões sem grades da loucura e dos distúrbios de conduta.

A vida moderna, no entanto, por outro lado, criou mecanismos escapistas para a fuga da realidade exigente, propondo incontáveis divertimentos, desde os mais singelos até os esportes radicais, sem nenhuma consideração pelo equilíbrio orgânico, que vai submetido a esforços descabidos, nos campeonatos de exibição narcisista dos seus aficionados.

Por outro lado, os exercícios físicos, trabalhando as formas em favor da beleza estética, pecam pelo excesso de musculação, de caminhadas cansativas, do uso de anabolizantes, de enxertos de silicone, de cirurgias corretivas, tornando-se um distúrbio de natureza psicológica... O excesso de compromissos, muitos deles insignificantes, como o de estar presente em todos os eventos, de ser conhecido em toda parte, de buscar integrar-se em todos os movimentos, diminui o tempo que se deveria dedicar à reflexão e ao estudo, à meditação e à interiorização, correndo-se de um para outro lado, na busca de coisa nenhuma, na condição de fruto azedo que são os *vazios interiores.*

Nessa volúpia do prazer, não se dispõe de paz nem de oportunidade para selecionar os alimentos saudáveis, cozê-los ou não corretamente, fugindo-se para os enlatados, os pré-cozidos, os *fast foods*, com excesso de gordura, bebidas com exagero de gás, álcool e tabaco nos encontros sociais, quando não predomina a eleição das drogas aditivas e destruidoras, nos diversos setores em que todos se movimentam.

O número de obesos é surpreendente, em face da alimentação mal-orientada e da falta de exercícios saudáveis, tornando-se uma enfermidade de natureza pandêmica, impondo despesas volumosas aos cofres públicos das diferentes nações, pelo desrespeito total aos programas de saúde.

Em busca da verdade

Dietas absurdas surgem e desaparecem como neve que o Sol derrete, para conseguir-se o corpo ideal, como se todos os indivíduos, com suas próprias características genéticas, pudessem ser transformados em um padrão único de harmonia e de beleza, dando lugar aos transtornos da anorexia e da bulimia de graves consequências.

Por outro lado, cirurgias de diminuição do estômago, com a colocação de balões inflados para reduzir a capacidade alimentar, quando o esforço pessoal, a decisão honesta e sincera de cada qual melhor cuidar-se poderia resolver o impasse...

A ânsia pelo corpo ideal tem levado pessoas neuróticas à retirada de costelas, para melhorar a silhueta, parecendo-se a bonecas famosas como a *Barbie*, em vez da consciência de que ela foi feita não para servir de modelo, mas inspirada em alguém muito especial na sua constituição física...

Os paradoxos multiplicam-se desvairadamente, e os *âncoras* de programas de rádio e de televisão, muitas vezes aturdidos e a serviço do mercado infeliz, sugerem, irresponsavelmente, o uso de produtos salvadores para a saúde, de SPAs, sigla do velho conceito *salute per acqua*, que se fazem famosos pela facilidade com que todos emagrecem e libertam-se de vícios, atormentando os ouvintes e televidentes desprevenidos.

O sexo promíscuo transformou-se em elemento vital aos relacionamentos, às atividades de qualquer natureza, e o seu desempenho passou a ser motivo de comentário e de exibicionismo em todo lugar, como maneira de vender sensações, desde que outro não é o interesse dos seus propagadores...

De igual maneira multiplicam-se os *gurus* astutos e psicologicamente enfermos, orientando pessoas igualmente perturbadas e impondo-lhes comportamentos estranhos, fora do normal, como recurso hábil para ser conseguida a meta que se deseja.

Inúmeros outros fatores de perturbação da saúde, colocados a serviço falso do bem-estar e do equilíbrio injustificado, enganam e desviam as pessoas dos objetivos essenciais da existência, mais defraudando-lhes a confiança e a esperança de paz.

Cultos religiosos extravagantes e enganosos prometem saúde total, como se oferecem produtos num mercado, atraindo as massas ansiosas e necessitadas, que têm exauridos os seus salários, na *compra* dos favores divinos, quando os seus líderes não são mais atrevidos, e *exigem* que Deus os atenda nas suas imposições teatrais, que levam os adeptos ao delírio.

As práticas místicas herdadas do passado, atreladas ao mediunismo atormentado, também são buscadas para soluções dos problemas de todo porte, incluindo, os da saúde.

Tudo isso porque o ser humano perdeu o senso de direcionamento dos objetivos essenciais da existência terrestre, confundida com uma viagem ao país do prazer e às praias do divertimento insensato.

O trabalho honesto e dignificante vai sendo colocado à margem, como cansativo e cruel, exigindo-se sempre leis que diminuam a sua carga horária, que mais beneficiem o servidor, sem igual compromisso com a qualidade

Em busca da verdade

que cada um deve apresentar, com a pontualidade exigida, com a responsabilidade que se lhe vincula.

É de grande valor, no entanto, para o equilíbrio psicofísico, o trabalho sério e bem-executado, que tem função terapêutica valiosa, sustentando os ideais humanos, gerando hábitos morigerados e convivência social edificante entre aqueles que se encontram em ação nos grupos que se movimentam, desincumbindo-se dos compromissos para os quais foram contratados.

Nesse painel, algo deprimente, desempenha papel relevante a vida interior do indivíduo, as suas construções e aspirações mentais, os anelos do sentimento, as mágoas e ressentimentos defluentes da existência, o cultivo de ideias torpes, vulgares ou perversas, contribuindo de forma vigorosa para o aparecimento, instalação ou prolongamento de enfermidades de diferentes portes...

A autoconsciência em torno dos deveres que dizem respeito à reencarnação e à necessidade de a utilizar de forma adequada, constitui fator primordial para o bem-estar e a paz, que não tem recebido consideração.

No aturdimento, porém, que toma conta das pessoas e da vida social, a conquista dessa consciência de *Si-mesmo* fica relegada a segundo plano, ou nem sequer valorizada, sob justificações infantis de nenhuma relevância.

Há uma necessidade imperiosa quão inadiável de o indivíduo voltar-se para dentro, examinar-se honestamente e compreender-se, para, em seguida, ter definidos os rumos que deverá seguir, buscando a meta principal que é a felicidade possível que lhe está ao alcance.

Joanna de Ângelis / Divaldo Franco

A Parábola dos Talentos

(...) Pois é assim como um homem que, partindo para outro país, chamou os seus servos e lhes entregou os seus bens: a um deu cinco talentos, a outro dois e a outro um, a cada qual segundo a sua capacidade; e seguiu viagem. O que recebera cinco talentos foi imediatamente negociar com eles e ganhou outros cinco; do mesmo modo o que recebera dois, ganhou outros dois. Mas o que tinha recebido um só, foi-se e fez uma cova no chão e escondeu o dinheiro do seu senhor. Depois de muito tempo voltou o senhor daqueles servos e ajustou contas com eles. Chegando o que recebera cinco talentos, apresentou-lhe outros cinco, dizendo: — Senhor, entregaste-me cinco talentos; aqui estão outros cinco que ganhei. Disse-lhe o seu senhor: — Muito bem, servo bom e fiel, já que foste fiel no pouco, confiar-te-ei o muito. Entra no gozo do teu senhor. Chegou também o que recebera dois talentos, e disse: — Senhor, entregaste-me dois talentos; aqui estão outros dois que ganhei. Disse-lhe o seu senhor: — Muito bem, servo bom e fiel, já que foste fiel no pouco, confiar-te-ei o muito. Entra no gozo do teu senhor. Chegou, por fim, o que havia recebido um só talento, dizendo: — Senhor, eu soube que és um homem severo, ceifas onde não semeaste, e recolhes onde não plantaste; e, atemorizado, fui esconder o teu talento na terra; aqui tens o que é teu. Porém o seu senhor respondeu: — Servo mau e preguiçoso, sabias que ceifo onde não semeei, e que recolho onde não joeirei? Devias, então, ter entregado o meu dinheiro aos banqueiros e, vindo eu, teria recebido o que é meu com juros. Tirai-lhe, pois, o talento e dai-o ao que tem os dez talentos; porque a todo o que tem, dar-se-lhe-á, e terá em abundância; mas ao que não tem, até o que tem ser-lhe-á tirado. Ao servo

Em busca da verdade

inútil, porém, lançai-o nas trevas exteriores; ali haverá o choro e o ranger de dentes. (Mateus, 25:14 a 30.)

Na arte de contar histórias, como em todos os Seus atos, Jesus foi inexcedível. Tomando de imagens simples e comuns, conhecidas e vivenciadas por todos, conseguiu penetrar nos arquivos profundos do inconsciente para desmascarar os conflitos e a culpa, estabelecendo diretrizes para a conquista da autoconsciência, produzindo a perfeita identificação do *ego* com o *Self*.

A parábola em estudo é psicoterapêutica por ensejar reflexões profundas e lógicas a respeito do comportamento de todos com a consciência – o senhor que ofereceu os talentos – e que sempre se encarrega de exigir a aplicação dos recursos que são destinados ao indivíduo.

Todas as criaturas são aquinhoadas com talentos morais, intelectuais, do sentimento, das aptidões, que devem ser aplicados em favor do próprio enriquecimento, desenvolvendo habilidades próprias e pertinentes à capacidade de utilização de cada qual. Tendo-se em consideração os diferentes níveis de evolução, nasce-se com os preciosos recursos que constituem a sua fortuna emocional, e que devem ser utilizados de maneira correta, dando lucros em forma de engrandecimento interior.

A Parábola dos Talentos refere-se aos indivíduos mais aquinhoados na existência, que souberam multiplicar a concessão com que foram honrados e dignificados pela alegria de entrar *no gozo do seu senhor*, o estado de harmonia emocional e de crescimento mental.

O outro, que recebeu menos, negligente e avaro, receoso e incapaz, *enterrou* a moeda preciosa, dominado pela preguiça moral de a multiplicar, também temeroso da justiça do seu senhor, que era severo. Todos os valores que sejam sepultados no solo da indiferença e da falsa justificativa, se transformam em sofrimento interior, porque a culpa que se apresenta no momento da prestação de contas, leva-o às lágrimas e às lamentações...

Merece, no entanto, analisar que a parábola não se refere aos servos que não foram aquinhoados, o que nos conduz à reflexão de que todos os seres humanos encontram-se portadores de bens que devem ser multiplicados, nunca se justificando a não posse, porque ninguém é destituído de oportunidades para evoluir. Mesmo no caso dos impossibilitados mentais, físicos e emocionais desestruturados, nos refolhos do inconsciente profundo, encontram-se as razões da aparente carência, sendo a sua falta o *talento* de recuperação pelo haver malbaratado nas existências transatas.

Quando o senhor parte para *outro país* e deixa os seus bens nas mãos dos seus servos de confiança, o fato, à luz da psicoterapia, representa a não interferência da consciência nas decisões que definem o rumo da aplicação dos *talentos*, momentaneamente sob a governança da *sombra*. O *Self* sempre vigilante aciona os mecanismos da inteligência e estimula aqueles que se tornaram portadores de maior responsabilidade a que multipliquem os haveres recebidos, embora correndo riscos de os perder. Todo empreendimento experimenta a circunstância do êxito ou do insucesso, cabendo ao investidor eleger a aplicação, no caso em tela, mais rendosa, menos perigosa, conforme o fizeram os dois servos dedicados.

Todos os dons pertencem à vida, vêm de Deus e são concedidos como *empréstimos*, como experimento, a fim

Em busca da verdade

de que se possam fixar na realidade, produzindo os efeitos correspondentes.

A vida é dinâmica, não se permitindo vacuidades e desleixos sob pena de consequências afligentes para os levianos e irresponsáveis, que sempre têm *enterrado* aquilo que deveriam e poderiam aplicar, ampliando as suas possibilidades de crescimento. Por isso, reencarnam-se em penúria, em tormentos e angústias que lhes são impostos pela consciência, o senhor severo que *colhe onde não semeou*, porque a sua seara é o Universo que a precedeu, possuidor de todos os haveres imaginados.

Esse acomodado guardador da moeda, embora houvesse agido de maneira equivocada, poderia ter-se complicado, perdendo-a no jogo, usando-a de forma incorreta, o que lhe acarretaria situação mais deplorável, como acontece com todos aqueles que se utilizam dos valores de que são investidos para a degradação, as aventuras perturbadoras, os prazeres desavorados...

As heranças atávicas geradoras da *sombra* e a infância emocional que teima em permanecer como *criança ferida* em muitos comportamentos, fazem dos indivíduos pacientes piegas ou astutos, que se negam o esforço na esperança de que outrem lhes ofereça o que lhes cabe conquistar. Tornam-se egoístas e displicentes.

Era comum essa dicotomia entre pessoas que antes alugavam casas: plantar ou arrancar árvores.

Algumas, quando se mudavam, deixavam as árvores que plantaram no terreno que lhes não pertencia, enquanto outras as arrancavam, demonstrando avareza e insensibilidade.

Diversas evitavam plantá-las porque o solo não era delas e afirmavam que não iriam trabalhar, justificavam-se, para o bem de estranhos, no entanto, alegravam-se quando encontravam verdadeiros pomares que foram preparados por outras que não conheceram, mas os fizeram para o futuro...

Se cada qual realizar a sua parte, pensando nos bens do futuro, não importando quem seja aquele que *colhe onde não semeia*, seus *talentos* estarão sempre aumentados e receberão outros mais que lhes são confiados...

O servo bom, do bom trabalho retira a prosperidade, enquanto que o ocioso converte a ação em penúria, vindo a sofrer a restrição do prazer e da harmonia.

Os servos diligentes são todos aqueles que não se detêm atemorizados ante as dificuldades existenciais e trabalham a fim de removê-las, facilitando a oportunidade dos que se encontram na retaguarda. Sempre se viverá beneficiado ou não pelos ancestrais, aqueles que caminharam antes pelas veredas por onde agora peregrinam. Foram eles que abriram as picadas, facilitando a primeira experiência na mata fechada, depois outros alargaram os caminhos, vieram mais tarde muitos outros que asfaltaram ou não a estrada agora percorrida com facilidade.

Quando se tem consciência desse valor dos antepassados, ao conseguir-se a cura das neuroses, logo surge o interesse por servir, auxiliar os familiares, os mais próximos, treinando fraternidade e generosidade para com todos os demais seres humanos.

A experiência do significado e do bem-estar proporciona tal alegria que o paciente recuperado não se basta, não fica indiferente ao que acontece à sua volta, porque

Em busca da verdade

sente-se membro do conjunto e sabe que da mesma forma que uma célula enferma compromete o órgão, a saudável trabalha pela sua reconstituição.

Embora a significativa e volumosa parte das ações humanas e das suas aspirações procedam do inconsciente, o despertar da consciência consegue valiosos contributos para a harmonia e a vivência saudável em todos os grupos sociais nos quais venha a viger a identificação do eixo *ego–Self,* cooperando pelo ajustamento de todos os membros à mesma conquista.

Muitos pacientes adquirem conflitos e complexos, especialmente de inferioridade, em decorrência da constelação familiar, na qual se encontram humilhados, submetidos aos caprichos dos distúrbios do grupo doméstico. Nada obstante, a vítima da circunstância deve desenvolver a esperança e relativizar as circunstâncias e os acontecimentos danosos, tentando recomeço, psicoterapia apropriada, e descobrirão como são portadores de elevados *talentos,* que foram soterrados pelos desavisados membros do clã. Com muita facilidade perceberá que os tesouros enterrados podem ser recuperados e multiplicados em abundância, superando as limitações e conflitos até então dominantes. A consciência lúcida, dando-se conta do esforço empreendido, dirá: – *Entra no gozo do teu senhor. E esse lhe conferirá outros tantos talentos, ampliando o seu campo de possibilidades inimagináveis.*

O indivíduo é o que se faz a si mesmo, no entanto, em face do seu instinto gregário e da sua necessidade social, não se podem evitar os efeitos da convivência no grupo no qual nasceu, se educou ou permanece vivendo.

Embora a ocorrência, o *Self* pode suprir as carências, demonstrando que a sintonia com o divino que se encontra nele próprio diluirá a *sombra* perturbadora que o enjaula no conflito de qualquer natureza.

Quando as mulheres e os homens contemporâneos utilizarem-se dos bens da vida com o desejo honesto de ser fiéis à alma, uma religiosidade espiritual assomará do inconsciente profundo trabalhando a sua realidade emocional e impulsionando-os ao desenvolvimento da saúde e do bem-estar em forma de contribuição interior para o equilíbrio, e exterior para o grupo no qual se encontra.

Tem-se, portanto, o grupo familiar que se impõe como necessidade para o desdobramento dos valores morais, resultando nas ações pretéritas das existências passadas, que proporcionam as facilidades ou os problemas que devem ser enfrentados sem pieguismo nem ressentimento para o amadurecimento interno que conduz à individuação.

Essa conscientização deve ser iniciada pelos membros da sociedade em crise existencial, moral e espiritual.

A perda do significado pode ser reparada mediante a renovação dos sentimentos, os empenhos pelo equilibrar-se interiormente, pelas tentativas do silêncio mental, abrindo campo aos divinos *insights*.

Ante a conturbação que assola, as pessoas tímidas, receando o enfrentamento com os alucinados, *enterram os talentos*, dissimulando as virtudes, ocultando-as com medo de serem ridicularizadas, levadas à zombaria ou tidas por débeis mentais.

Sucede que, em tempo de loucura a razão parece deslocada, enquanto que o desvario é o estado aceito e prescrito.

Em busca da verdade

Partindo-se para um *outro país* de experiências multifárias e realizações incomuns, é natural que sejam repartidos os haveres com aqueles que permanecem no cotidiano da existência, sem motivações ou estímulos para o próprio crescimento intelecto-moral, propiciando-lhes os *talentos* que deverão ser investidos ou aplicados nos bancos da produção espiritual, a fim de que sejam beneficiados pelos juros do equilíbrio.

A saúde, neste capítulo, é um dos mais valiosos *talentos* que o Senhor oferece ao Espírito no seu processo de evolução, em face das valiosas possibilidades que enseja ao seu possuidor, que tem por dever preservá-la, multiplicando as experiências iluminativas e o crescimento intelecto-moral. Nem todos, porém, agem com esse discernimento, sendo a grande maioria constituída por aqueles que a malbaratam, nem sequer a preservam, vivenciando cada hora no desperdício do tesouro que se lhes vai esgotando até o desaparecimento completo.

Chegará, também, para esses, o momento da prestação de contas, e constatando as leviandades praticadas, a conduta irresponsável vivenciada, sofrer-lhes-ão os efeitos graves, em batalha intérmina para reconquistá-la, o que não é fácil, sendo pela consciência *atirados às trevas exteriores*, em reencarnações pungentes e aflitivas.

Todos os *talentos* são valiosos porque, multiplicados, proporcionam a fortuna do bem-estar, da alegria de haverem sido utilizados com sabedoria.

A palavra, por exemplo, é um *talento*, que nem todos aplicam conforme deveriam, porquanto, através dela se produzem as rixas e as brigas, as intrigas e maledicências, as infâmias e as acusações, muitas vezes culminando em guerras infernais... quando a sua finalidade é exatamente o contrário.

À sua semelhança, o discernimento, a razão constituem valores inapreciados, em razão das infinitas possibilidades que oferecem, como permitir o conhecimento do Cosmo, a identificação dos elevados valores da vida, do serviço de edificação moral e espiritual do próprio possuidor, assim como da Humanidade como um todo.

A existência física é uma viagem de curto prazo pelos caminhos do planeta terrestre, porque transitória e finita, constituindo-se parte fundamental da vida no seu caráter de imortalidade, pois que, desde quando criado, o Espírito não mais se extingue, abençoado pelo vir e volver ao Grande Lar, onde é avaliado pela própria consciência e pelos seus Guias espirituais, que se encarregam de o auxiliar no processo evolutivo.

Os *talentos,* pois, de que dispõe cada um, tanto podem ser renovados como retirados, de acordo com a aplicação que se lhes dê.

São empréstimos divinos que o Senhor coloca à disposição de todos, sem exceção, com generosidade e confiança, mas sob a condição de serem prestadas contas da sua utilização.

Mesmo o sofrimento, quando bem pensado, é um *talento* valioso, pelo que oferece de dignidade e de libertação dos compromissos infelizes, facultando a perfeita identificação do eixo *ego–Si mesmo*, com a integração da *sombra* e o logro da individuação.

É claro que todo empreendimento exige esforço, vigilância, cuidados, não sendo diferente naqueles que dizem respeito ao caráter moral, ao significado espiritual.

Em busca da verdade

Analisando-se Jesus, como possuidor dos *talentos de vida eterna*, descobrir-se-á facilmente como os aplicou em todos os dias da Sua existência terrenal, especialmente durante o período de Sua vida pública, enriquecendo o mundo com sabedoria e liberdade, com beleza e esperança de plenitude.

E quando foi traído, negado, julgado insensatamente, condenado e crucificado, o tesouro da Sua misericórdia e cordura transformou-se em bênção que vem atravessando os séculos como a única maneira de encontrar-se a felicidade, que é conseguida somente pelo amor, por amorterapia.

A conquista do Si

Toda a vilegiatura carnal do Espírito deve ser direcionada para a conquista do *Si-mesmo*.

Herdeiro das experiências evolutivas, tem viajado longamente dos instintos à razão, ao discernimento, à aquisição da consciência, descobrindo a sua realidade de ser imortal, cuja trajetória ilimitada prossegue além da vestidura carnal...

O inconsciente coletivo, que nele se encontra ínsito, na maioria das vezes é resultado das próprias vivências nos referidos períodos antropológicos, quando em trânsito de uma para outra faixa da evolução, seja física, moral ou transcendental.

Armazenadas no *Self* são essas incontestáveis tentativas de acerto e de erro, que lhe delineiam as novas caminhadas corporais. Por isso mesmo, a *sombra* resultante dos conflitos instalados nos refolhos da psique, normalmente surge-lhe ameaçadora, gerando dificuldades de raciocínio, de comportamento saudável, de harmonia.

Iniciando o desenvolvimento do *Si-mesmo*, na condição de *simples e ignorante*, destituído de conhecimentos, de habilidades e de treinamentos, a pouco e pouco, à semelhança da semente no seio generoso da mãe-Terra, vão--se-lhe desenvolvendo os germes da sabedoria adormecida, experienciando os jogos dos sentidos, em avanço para a lógica e o raciocínio, dando lugar aos atavismos primitivos que devem ser ultrapassados sem traumas nem choques emocionais.

À medida que se lhe tornam mais complexas as admiráveis possibilidades de que dispõe para evoluir, surgem-lhe as marcas dos hábitos ancestrais que teimam em prendê-lo no já conhecido, no já desfrutado, confundindo os valores de qualidade com as comodidades do prazer.

Atraído pelo *Deotropismo* da sua origem, não se pode furtar ao conflito entre o que tem sido e o que lhe aguarda. Nem sempre, porém, aspira por situação ou condição melhor de vida, bastando-lhe o atendimento das necessidades fisiológicas básicas, em olvido proposital ou não daquelas de natureza psicológica, essenciais para a individuação.

Quando descobre o significado existencial e ainda não dispõe da maturidade emocional indispensável, pretende a transformação interior a golpes de exigências descabidas e de sacrifícios que se impõe, sem dar-se conta de que a violência não faz parte da programação orgânica para uma existência feliz.

Em face da desorientação religiosa do passado e que infelizmente ainda vige em muitos setores da sociedade, impõe-se a fuga do mundo, buscando o isolamento, que

Em busca da verdade

constitui tremendo adversário do bem-estar humano, desde quando, gregário, necessita da convivência, do relacionamento com o seu próximo, que resulta em profundas frustrações interiores que levam a desastres psicológicos ou ao abandono da opção...

Outras vezes, entregando-se ao transtorno masoquista, propõe-se sofrimentos injustificáveis, que mais ampliam o desconforto emocional e o desequilíbrio psicofísico.

A existência humana deve ser vivenciada dentro de uma pauta de deveres morais e espirituais, ademais dos sociais, familiares e para com o corpo, estabelecidos por cada indivíduo, a fim de que a carga imposta não lhe seja superior às forças interiores, assim evitando os desastres nos insucessos.

O comportamento dentro das diretrizes convencionalmente denominadas como normalidade, constitui-lhe caminho de segurança para o avanço contínuo na direção da meta estabelecida.

Em vez de imposições de fora para dentro, da aparência dentro dos padrões estabelecidos pelo grupo social, a lúcida interpretação das próprias necessidades e a condução tranquila quão equilibrada de cada função ou ocorrência vivencial, a fim de conseguir o estado saudável e progressista na marcha da iluminação.

Compreendendo que a *sombra* é presença normal e constante na sua psique, a sua fusão natural no *Self* é o objetivo do autoconhecimento, da conquista que o desaliena, ensejando-lhe melhor visão da realidade e do mundo que o cerca.

Tal identificação – do que deve fazer e como realizá-lo, superando as sequelas do passado – abre-lhe espaços mentais e emocionais para ser feliz.

Nesse labor consciente, reacional e objetivo, a individualidade cresce e desenvolve-se, facultando o surgimento de outros valores dantes não considerados, que constituem elementos superiores para uma vivência com sentido enobrecido.

Nem sempre se compreende o significado da conquista do *Si-mesmo*, supondo-se que esse labor diz respeito a questões da mística religiosa ou das tradições filosóficas orientais do passado. Certamente, têm razão no significado, mas não na proposta, porque as doutrinas orientais, descobrindo a realidade do ser que se é, encontraram na meditação, na *yoga*, nas diversas técnicas da concentração e da abstração em relação ao tempo e aos sentidos, um excelente instrumento pedagógico para a autoconquista.

Por outro lado, algumas religiões, com boas intenções, sem dúvida, procuraram auxiliar o ser na superação dos conflitos, e ignorando-lhes a intensidade bem como a sua gênese, estabeleceram normativas, umas felizes, outras nem tanto, para que o fiel tivesse um *fio de Ariadne* para sair do labirinto existencial em que se encontra. A partir das regras estabelecidas, entre outros, por Inácio de Loyola, os *exercícios espirituais* têm produzido excelentes resultados naqueles que os praticam de maneira racional e sem fanatismos.

A concentração racional com meditação reflexiva igualmente constitui um recurso de fácil aplicação diária para a conquista do *Self*, por ensejar o autoconhecimento,

Em busca da verdade

a observação do que se é, descobrindo-se os tesouros que estão ao alcance, mediante o *vir a ser*.

Aquele que se impede a autoidentificação, permanece na periferia da existência, facilmente aturdido ante as ocorrências, sempre considerando-as perturbadoras e destituídas de significados, quando, conscientemente enfrentadas, podem transformar-se em valiosas conquistas de plenificação interior.

Ninguém se pode afligir pelo fato de ser humano, de ter inclinações tormentosas, que são resultados de vivências malogradas, que serão superadas com disciplina e vontade resultante da seleção das aspirações que fazem parte da agenda de cada pessoa.

Quando o indivíduo se compreende, havendo conseguido esse entendimento a respeito do ser que é, muito mais fáceis se lhe tornam os enfrentamentos dos desafios e dos problemas, porque, libertando-se dos complexos de inferioridade e da necessidade da culpa, assim como da autopunição, considera-os essenciais à evolução. Todo processo de transformação exige sacrifício e luta, como é natural. No que diz respeito às de natureza psicológica, evidentemente devem ser analisadas com decisão firme para superá-las, bem como produzir bem-estar e alegria pela oportunidade de encontrar-se ativo, produzindo sempre para melhor.

A essa conquista denominamos como o bem, porque proporciona satisfações elevadas, portadoras de resultados saudáveis.

Quem se conhece é possuidor de sabedoria a um passo da autoiluminação, que o torna profundamente feliz.

Avançar com segurança, destituído dos conflitos geradores de transtornos de variada qualificação, é conquista que se encontra ao alcance de todo aquele que opta pela integral consciência de *Si-mesmo*.

Aquele que se ignora caminha inseguro e enfermo emocional, buscando soluções fora dele, realizando processos de transferência da culpa, a fim de poder suportar-se, de não tombar em situações lamentáveis de desajustes psicológicos mais graves.

O objetivo essencial da existência terrena é o de autoconhecer-se, de penetrar os imensos *abismos* do inconsciente atual, a fim de descobrir os objetivos da vida, enquanto adquire recursos para alcançar a superconsciência e captar as mensagens superiores da imortalidade, que o convidam à autossuperação dos impedimentos, enquanto desenvolvem as aptidões dignificadoras.

Ninguém consegue o estado de paz sem a harmonia entre a psique, a emoção e o físico. Certamente, não será pela falta de ocorrências desagradáveis, que sempre sucederão, mas pelo compreendê-las na condição de necessárias, responsáveis pelos progressos e pelas inevitáveis transformações após descobri-las.

Quem alcança o acume de um monte, venceu todos os obstáculos que se encontravam pelo caminho... Nenhuma ascensão é fácil, o mesmo ocorrendo com a autotransformação para melhor.

É compreensível que haja uma aceitação normal do estado em que muitos se encontram, acomodados às circunstâncias, sem aspirações relevantes. Nesse nível de *consciência de sono,* as necessidades atêm-se mais àquelas orgânicas, quais sejam: alimentar-se, dormir, exercer o

Em busca da verdade

sexo, num círculo de automatismos primários. Como o *progresso* é inevitável, lentamente despertam as ambições emocionais, por saturação das físicas, e ocorre a mudança para o nível de *consciência desperta* (ainda semiadormecida, porque há prevalência da anterior), aparecendo anelos não habituais, desconforto em relação ao já vivenciado, insatisfação diante da vida...

O *Self* desenvolve-se mediante os esforços existenciais que lhe facultam o despertar dos tesouros adormecidos, produzindo a imaginação, a ambição de crescimento, o desejo de conquistas novas. São, portanto, muito saudáveis, alguns estados de mal-estar, de queixa, de tristeza, desde que se não transformem em tormento, em hábito doentio de reclamação inoperante, mediante a qual a pessoa justifica a própria indolência.

Quem se basta com o habitual permanece em hibernação de consciência, aguardando que fenômenos-dor o sacudam, provocando-lhe a busca da renovação e a disposição para mudanças psicológicas, para novas aspirações que lhe constituirão objetivos a trabalhar.

O *Si-mesmo* é a fonte da vida do corpo em todas as suas expressões: psíquicas, emocionais e físicas. Nele residem os dínamos geradores de todos os recursos para a existência humana, e, quando liberto das injunções do processo material na Terra, ei-lo que, ideal e numinoso, avança na direção da plenitude.

Todos os esforços devem ser aplicados pelo ser consciente na autoconquista, na superação das forças atávicas do ontem e na atração dos iluminados patrimônios da superconsciência.

É um retorno, de alguma forma, à *deusa*, uma reconquista do que foi mal aplicado ou perdido no processo da evolução.

Esse lutador vitorioso, que alcança a compreensão lógica da existência, torna-se modelo e arrasta outros, porque o exemplo de felicidade *contagia* todos quantos se encontram na desdita e na insegurança.

Esse *talento* sublime que a vida oferece a todos – a oportunidade de evoluir e de descobrir o infinito – tem que ser multiplicado, a fim de que o Senhor da Abundância se regozije e propicie a conquista do *Reino dos Céus*, que nele se encontra e necessita de exteriorizar-se.

Quem conquista os outros, perde-se em conflitos, em relação aos métodos, nem sempre nobres de que se utilizou, experimentando insegurança quanto à vitória aparente. Mas aquele que se conquista a si mesmo, esse atingiu a meta estabelecida pelo processo evolutivo, e é feliz.

Binômio saúde/doença

A aquisição da saúde real, integral, constitui meta primordial a ser alcançada por todas as pessoas.

Caracterizando-se pelo bem-estar emocional, equilíbrio psíquico, harmonia fisiológica e normalidade socioeconômica, a saúde é um tesouro – *talento* – cuja estabilidade resulta de inúmeros fatores, especialmente os derivados do comportamento moral. Embora a hereditariedade desempenhe um papel fundamental para a sua vigência, a constituição genética do ser obedece à influência do Espí-

Em busca da verdade

rito quando da programação reencarnatória, em face das necessidades evolutivas impostas pelas Soberanas Leis.

Sendo o Espírito responsável pelos atos perpetrados, especialmente aqueles de natureza negativa, que são geradores de sofrimentos e desaires nos outros, todos eles insculpem-se nas delicadas tecelagens do corpo perispiritual, nelas imprimindo o mapa das necessidades reparadoras que se delinearão no código genético, no qual encontram os recursos materiais para a sua manifestação.

Dessa maneira, surgem os fenômenos teratológicos, as deficiências mentais e limitações orgânicas, as dificuldades psicológicas, os tormentos de toda e qualquer natureza física, assim como um sistema imunológico incapaz de defender a maquinaria em que se hospeda pelo renascimento, experimentando, em consequência, enfermidades de diversos teores, que constituem os mecanismos de reparação moral e espiritual necessários à paz.

Quando os fatores que proporcionam a doença não são resultado da negligência e dos abusos cometidos durante a jornada atual, como é muito comum, especialmente em relação à inobservância dos elementos preservadores do equilíbrio e do processo de desenvolvimento psicofísico, são as heranças do pretérito as responsáveis pelas ocorrências penosas e desgastantes que ressumam em forma de doenças crônicas, transitórias, repetitivas, ocasionais...

Compreende-se que o nobre instrumento corporal, de acordo com a maneira como é utilizado, experimente alterações compatíveis com o uso, seja do ponto de vista estrutural orgânico, seja de natureza mental ou emocional. Essa tríade que constitui a realidade do ser – mental, emocional e fisiológica – é regida pelo *Self* que, dominado pelo *ego,* sob os impulsos do primarismo, mantendo o desequilíbrio de qualquer natureza, abre espaço a disfunções normais, como ocorre com qualquer veículo mal-utilizado ou cuja manutenção se faça precária.

Pode-se afirmar que a enfermidade também resulta do natural processo de envelhecimento celular, do desgaste neuronal e do seu contínuo desaparecimento, do enfraquecimento do *fluido vital,* que mantém o equilíbrio geral, anunciando o fenômeno inevitável da morte. Apesar disso, é possível, mesmo com as diversas disfunções e deperecimento de forças, manter-se um estado saudável, harmônico, propiciador de alegria e de atividades responsáveis pelo perfeito ajustamento do indivíduo no grupo social.

Em razão da anterioridade das experiências humanas e de relacionamento, renasce-se no clã familiar, no qual se encontram geneticamente os elementos básicos propiciatórios ao programa de elevação moral e espiritual, em vez de naqueles que se gostaria de viver. Nesse grupo doméstico, é muito comum encontrar-se também os familiares inamistosos de ontem, que voltam a reunir-se a fim de reorganizar-se, trabalhando as imperfeições, retificando a direção dos sentimentos vis de outrora, através da fraternidade, do respeito que deve viger entre todos.

O cérebro não é, por isso mesmo, *uma folha de papel em branco,* segundo a acepção de diversos estudiosos das doutrinas psicológicas. Certamente, na sua constituição, é destituído de quaisquer marcas, que são assinaladas posteriormente pelo Espírito em processo de reencarnação...

Normalmente, em razão das adversas situações criadas nas existências anteriores, defronta-se uma genitora

Em busca da verdade

perversa ou descuidada, uma super-mãe ou uma inimiga tenaz que agride e magoa sem qualquer condescendência. Noutra circunstância, é o genitor irresponsável ou atormentador, alcoólatra ou déspota, que parece desforçar a infelicidade que o caracteriza na prole, especialmente nesse ou naquele descendente, o mais comprometido, portanto, no grupo doméstico. De igual modo, irmãos e demais membros do clã serão constituídos por companheiros de caminhada anterior, nem sempre ditosa ou digna, dando lugar à felicidade do grupo ou aos mal-entendidos frequentes, geradores de desdita e de crimes, não poucas vezes, hediondos: abusos de toda ordem, especialmente pedofilia, parricídio, infanticídio, uxoricídio, perseguições sistemáticas...

Por essa razão, existem as famílias que se vinculam pelos laços espirituais e aquelas que resultam dos fenômenos biológicos, portanto, consanguíneas.

Em ambas se apresentam os sucessos necessários aos impositivos da evolução.

Quando se está consciente dessa realidade, descobre-se que a saúde é um *talento* precioso que o Senhor da Vida oferece ao Espírito reencarnado, e cuja aplicação lhe será cobrada posteriormente. Aquele que desperdiça a excelente oportunidade de um corpo harmônico, de um conjunto emocional e psíquico lúcido, sem as inquietadoras constrições expiatórias ou provacionais, é semelhante ao servo mau, negligente, que enterrou o *talento*, sendo mesmo um pouco mais irresponsável, porque lhe desperdiçou o valor, aplicando-o negativamente...

Com esse conhecimento das inextricáveis ocorrências que contribuem para a saúde ou abrem espaço para as doenças, sejam aquelas congênitas ou aqueloutras adquiridas ao longo do curso existencial, o despertar do *Self* torna-se uma aflição para o *ego* totalitário e dominador. No entanto, na segunda fase da vida, quando a maturidade ocorre, e o indivíduo já se encontra em estágio definido de extroversão ou de introversão, impõe-se-lhe o discernimento, que o convida à reflexão em torno da sua realidade em relação ao transitório da existência.

Quase ninguém, que seja portador de normalidade, pode viver indefinidamente na inconsciência de si mesmo. Os mecanismos que regem o corpo e a mente propiciam inevitavelmente o despertar dos interesses para aquilo que já não atende aos hábitos, porque repetitivo, sem sentido psicológico, monótono, despertando o *herói* adormecido que tem necessidade de ir *a um país longínquo*, onde as experiências são todas novas e desafiadoras.

É necessário investir os recursos da mente e da emoção – *talentos* preciosos – aguardando que se multipliquem e ofereçam rendimento de saúde e de paz.

Quando isso não ocorre, a saturação e a indiferença pelos familiares e amigos estabelece-se, levando o indivíduo a patologias delicadas.

Na *Parábola dos Talentos,* pode-se identificar o Senhor que emprestou os recursos aos servos, como o *Self* portador de infinitas potencialidades, que sempre as distribui, a fim de que sejam canalizadas para a multiplicação de resultados bons.

É de relevância, portanto, que o *Self,* na condição de *deus interior*, enseje a aquisição de uma crença, religiosa de preferência, destituída de fanatismo e cultos extravagantes, para melhor desenvolver-se, contribuindo para a

Em busca da verdade

diluição de toda a *sombra*, harmonizando o *anima-us* de maneira a experienciar os benefícios da existência.

A crença em Deus, o conhecimento de Jesus, não mais como arquétipos, mas, sim, como realidades que transcendem a compreensão imediata do *ego* e que se encontram ínsitos no *Self*, proporciona ilimitada satisfação de viver e de lutar, por poder-se considerar a grandeza do Homem de Nazaré e as Suas vitórias incessantes, como exemplo para todos, representando a saúde integral.

Nesse particular, o cientista dedicado, mesmo que desvinculado de qualquer crença religiosa, à semelhança do artista, vivencia uma experiência também *religiosa* em face da anuência do *Self* com os objetivos existenciais a que se entrega, proporcionando autorrealização e alegria de viver, muito responsáveis pela saúde.

São também essas habilidades *talentos* valiosos, que devem ser considerados como aquela maior importância entregue pelo Senhor – o *Self* – ao servidor da vida...

O confronto, portanto, entre o *Self* e o *ego*, normalmente na segunda fase da vida do ser humano, nesse período de conscientização, é inevitável, com todas as consequências benéficas para a saúde.

Nessa fase, pode ocorrer o que se denomina *efeitos colaterais* do surgimento dessa força grandiosa, que é o *Self*, dando lugar a alguns desconfortos emocionais e físicos, que não podem ser considerados doenças, mas resultado das naturais transformações que se vêm operando no mundo íntimo do indivíduo que se conscientiza da realidade. Como o *ego* é perseverante, pode utilizar-se da circunstância e infundir entusiasmo exagerado, quase narcisista, no qual a necessidade de buscar-se a tranquilidade da natureza, a meditação, a prece, apresentando-se a *tentação* de ele converter-se em guia e líder de outros, infelizmente sem a estruturação plena para empreendimento de tal natureza.

Nessa fase, em contínuo esforço para a perfeita filtragem entre o inconsciente coletivo e o *Self*, tem surgimento a *personalidade-mana*, cuja energia poderosa que invade o ser necessita ser orientada. A criatividade, quase inevitavelmente, pode surgir como um mecanismo saudável para a sua diminuição, em face da sua aplicação, proporcionando uma canalização bem-direcionada, que harmoniza o indivíduo. Essa criatividade pode ressumar do perispírito – em forma de inconsciente coletivo – onde se encontram registradas as experiências transatas, que ora se expressam em forma de arte, de pensamento, de ciência, de tecnologia... Nesse despertar do *mana*, a consciência desempenha o seu papel relevante, que é o de estabelecer parâmetros elevados para que sejam alcançados os objetivos que, por extensão, transformam-se em saúde e libertação das doenças.

Para que sejam alcançadas essas metas surgem continuamente os desafios, que emulam ao avanço e são constantes, pois que, vencido um, logo surge outro mais amplo e complexo, impondo a necessidade de encontrar-se um significado psicológico de alta magnitude para a existência.

Nesse processo de estruturação da realidade psicológica e espiritual do ser, após o enfrentamento da *sombra* e sua aceitação, harmonizando o *anima-us*, logo se torna factível conectar-se com todas as coisas existentes, em contínuos fluxos de sentimentos, tais sejam as montanhas e vales, os vegetais e animais, as criaturas humanas...

Em busca da verdade

Desse modo, o *Self* torna-se a razão única da natureza essencial do ser – o Espírito imortal!

A busca da saúde, nesse sentido, transforma-se em um objetivo próximo, insuficiente, no entanto, para alcançar-se a totalidade, a individuação, que se amplia no sentido existencial em relação ao mundo em que se vive.

Com esse comportamento, as aspirações multiplicam-se, quebrando as amarras do egoísmo e libertando as manifestações altruísticas, responsáveis pelo progresso da sociedade e do próprio indivíduo.

Nesse sentido, para ser conseguido o êxito, a educação dos sentimentos é de alta significação para a existência saudável, o que equivale a dizer, um comportamento jovial e feliz nas mais diversas situações, quando enfermo ou sem doença declarada.

Como a saúde não pode ser considerada como *falta de doença*, mas um estado agradável de vida, no qual as ocorrências internas podem ser perfeitamente administradas, sem danos ou prejuízos para as atividades normais, não poucas vezes ocorrem desgastes que, mais tarde, se apresentam como desestruturações dos equipamentos orgânicos, exigindo tratamento e equilíbrio emocional.

Nesse processo que leva ao *numinoso*, o binômio saúde/doença cede lugar à saúde integral, aquela que resulta do perfeito equilíbrio interior do ser humano.

Nem sempre, porém, o indivíduo consegue esse estado de harmonia a sós, necessitando de ajuda especializada, para que tenha a coragem de avançar guiado pelo *país longínquo*, a fim de que evite os transtornos que lhe deram experiência, mas que muito martirizaram o *filho pródigo*, filho pródigo que todos são na busca da sua realidade.

Vigilante, portanto, o *Self* distribui *talentos* e cobra a sua aplicação, deixando de ser prepotente, como o era na fase primária, relevando o ser que se é, em outra hipótese, o que poderá ser, nessa formosa aventura da autoconquista.

Saudável, o ser encontra a plenitude...

8
A BUSCA DO SIGNIFICADO

O BEM E O MAL • OS SOFRIMENTOS NO MUNDO •
A INDIVIDUAÇÃO

O sentido profundo da existência humana é a busca do significado, a plenificação do *Self – a imago Dei* – a substância divina que orienta a existência e dignifica-a.

Ninguém, portador de consciência, pode peregrinar pela Terra sem um sentido existencial que se espraie além das denominadas necessidades imediatas, que deixam de atender as exigências emocionais, logo que são vivenciadas.

Por essa razão, a experiência interior torna-se de relevante significado, sem a qual todas as realizações externas perdem a significação, porque passam a ser possuídas sem atender as exigências emocionais, que, não resolvidas, desencadeiam o vazio existencial.

Nessa viagem interna, que pode ser comparada a uma aventura interior, a consciência amplia-se ao infinito, portanto, indo muito além dos limites habituais adstritos aos desejos do ter e do prazer.

Invariavelmente, essa busca profunda apresenta-se, na criatividade da arte ou na abnegação da crença religiosa, como recursos hábeis para a conquista do infinito e do indefinível.

No mais profundo do inconsciente coletivo estão adormecidos esses dois anelos que tiveram origem na fase primitiva da evolução, quando o ser humano começou a entender a grandeza da vida, sua beleza e suas ameaças contínuas presentes em a Natureza, e a entrega às forças desconhecidas que pareciam manejar-lhes os destinos, facultando o surgimento do mito religioso, na condição de mecanismo de fuga das angústias e perturbações, atendendo aos caprichos que se impunham como soluções imediatas.

O esforço desse ser primitivo em comunicar-se com o outro e desenvolver a consciência mediante a escrita e a pintura rupestres, são as expressões iniciais da criatividade e do processo de comunicação consciente, organizada, que permanecerão em toda a sua trajetória antropológica.

Não sendo a vida humana senão a materialização do mundo cósmico, os Espíritos que desencarnavam naquele período, profundamente ignorantes da sua realidade, ao manifestar-se aos contemporâneos na intimidade das cavernas, deram início às primeiras expressões do culto religioso, sem o desejarem, tornando-se *deuses* bárbaros uns e gentis, benévolos outros, que iriam povoar o imaginário das gerações sucessivas, inscrevendo-se no panteão de todas as culturas terrestres.

Reavivar essas imagens e decodificá-las é a proposta da Psicologia Profunda, retirando-lhes a *sombra* perniciosa e ameaçadora da tradição, de tal forma que, em estágio de

Em busca da verdade

consciência lúcida, adquiram o seu exato sentido, que é a imortalidade.

Porque a fase de primarismo não permitia o raciocínio lógico, o natural culto de respeito e de devoção, mais pelo temor do que pelo amor, revestiu-se do mágico, do imaginoso, do sobrenatural, necessitando das excentricidades que se tornaram complexas em forma de cerimônias e de sacrifícios, inclusive humanos, para depois de natureza animal irracional e, por fim, vegetal, por meio das flores, como preito de amor e de gratidão, de respeito, de súplica... De tal maneira o inconsciente ficou sobrecarregado do *fetiche* criado e transferido de uma para outra geração que, mesmo na fase do discernimento, permanecem as heranças dominadoras, induzindo ao temor, ao respeito exagerado, às fugas espetaculares para livrar-se da culpa, resgatando-a por meio de oferendas e de sacrifícios...

O mergulho interior, desmistificando essa miscelânea de condicionamentos e de atavismos de natureza mágica, irá contribuir para o encontro com a religiosidade real, esse sentimento engrandecido que é a identificação com a *imago Dei*, com a manifestação de Deus. Certamente, não será o deus antropomórfico – arquetípico, não real – portanto, humanoide, caprichoso, mítico, mas aquele que *é a inteligência suprema, causa primária de todas as coisas*.[2] Esse conceito está perfeitamente identificado com a definição apresentada pelo filósofo holandês Baruc Spinosa, quando afirma que Deus é a *natura naturans*.

Desse modo, Deus está além de qualquer conceito que o limite e o transforme em conteúdo, quando, em

---

[2] Questão nº 1 de *O Livro dos Espíritos*, de Allan Kardec, 29.ª edição da FEB (nota da autora espiritual).

razão da Sua indecifrável realidade, é o Continente que tudo envolve.

A viagem, portanto, de caráter religioso, deságua no sentimento de religiosidade, de encontro com o divino que se encontra no *Si-mesmo*, aguardando compreensão e vivência da sua realidade, além de qualquer tipo de culto externo ou de submissão temerária.

Nessa incursão, a mente sutiliza-se e descobre significados desconhecidos que dão motivações à existência para ser vivenciada com alegria e irrestrita confiança nos resultados futuros.

Em vez de significar uma fuga, uma transferência da imagem do pai para a Divindade, representa o encontro com a Consciência universal, com ela identificando-se e tentando plenificação.

As várias maneiras de realizar a religiosidade mediante a fé, a abnegação, a concentração nos postulados da vida, na prece, na integração solidária nos serviços de beneficência e de caridade, dão sentido à existência física, enriquecendo-a de alegria e de bem-estar pelo prazer de contribuir em favor da satisfação geral, da diminuição do sofrimento, da miséria, das necessidades que assolam em toda parte...

Imediatamente, a criatividade, nesse momento, também se expressa grandiosa, numa explosão de imagens que necessitam de ser exteriorizadas, dando lugar à arte que se transforma em poderoso recurso de beleza, traduzindo as fixações que se encontram no inconsciente, transitando das formas grotescas ao classicismo, e chegando às profundas manifestações do modernismo, do cubismo, do surrealismo, do abstracionismo, porque não podem,

Em busca da verdade

na pintura, na música, na escultura, por exemplo, ficar contidas no reduzido das formas... Todo limite que se lhes imponha, impede-lhes a expansão, a libertação dos abismos do inconsciente coletivo.

Em todo período de crise, de indecisão e de perda de significado existencial da sociedade, ocorrem mudanças, algumas radicais, em relação ao já experienciado, ao conhecido, em forma de ânsia de libertação das imposições castradoras anteriores.

Nesse processo inevitável da evolução, todo um expressivo número de artistas conseguiu quebrar os limites impostos pela tradição, para alcançar o além das formas definidoras de conteúdos. Isso se tornou possível em razão da viagem interior que foram convidados a fazer, após sentirem-se saturados pelo já apresentado, que as modernas conquistas da Tecnologia poderiam fazer de maneira perfeita, em cópias iguais, portanto, sem necessidade da sua contribuição pessoal...

Os mais audaciosos detiveram-se, a princípio, rompendo os velhos padrões, no realismo e no impressionismo, para depois darem o grande salto em novas concepções que desvelam o inconsciente de cada qual e abrem campo a novas observações numinosas e psicoterapêuticas libertadoras.

Por intermédio de algumas dessas expressões artísticas, especialmente a pintura, a escultura, a música, pode-se penetrar nos conflitos dos pacientes e, utilizando-se de recursos curativos algo semelhantes, trabalhar-lhes as causas dos transtornos de conduta e de emoção.

Com essa modificação na Arte, particularmente na pintura, mais tarde em outros ramos, culminando na música, na escultura, na literatura, no balé, nos mais diversos ramos do conhecimento, as denominadas *realidades objetivas* cederam lugar aos conteúdos metafísicos e transcendentais, ampliando as conquistas do pensamento humano sem limite nem forma...

Graças a essa *aventura* em direção ao interior, ao inconsciente, a arte se transformou em um fenômeno místico, quase religioso pelo seu significado libertador, sem qualquer vínculo com denominação, mas dirigido à imensidão do Cosmo e da vida.

Proibidas essas expressões durante o período religioso dominador e restritivo, todas as imagens que vinham desde a remota antiguidade, porque herança do primarismo, os artistas conseguiram romper com os cânones do denominado estético, belo, harmônico, convencionalmente aceitos, demonstrando outras expressões de significados idênticos, de acordo com a visão e a percepção de cada criatura.

O inconcebível pôde ser externado de maneira própria, favorecendo a identificação de novos padrões de beleza.

O que antes era tido como *arte moderna,* de tal maneira se impôs tornando-se natural, que já não se atém às admiráveis expressões sob essa ou aquela denominação, estando presente na condição que lhe é própria, de arte reconhecida e aceita.

O observador consciente e sincero, diante de alguma dessas expressões que romperam com o tradicional, identifica-se além da forma, em mensagens subliminais ou diretas, auxiliando-o a melhor entender-se, decifrar-se, em face dos padrões que o limitavam e lhe dificultavam a autocompreensão, atormentando-o e alienando-o...

Em busca da verdade

Ela provoca, de início, um choque, pela estranheza de que se reveste, em qualquer um dos seus aspectos, na variedade de expressões em que se manifesta, para logo, à medida que a atenção a focaliza ou a recebe, produzir a identificação do inconsciente que libera informações e faculta a aceitação natural dos seus conteúdos, porque se encontram também nele mesmo.

Costuma-se dizer que a maioria das pinturas da arte contemporânea, expressa angústia, dor, sofrimento, discórdia, luta, o que, de certo modo, é verdade, porquanto representa a visão da jornada longa da evolução e reflete a realidade existencial, muitas vezes disfarçada pela hipocrisia ou oculta pelos denominados *multiplicadores de opinião*.

Observemos *Guernica*, do espanhol Pablo Picasso, e identificaremos a tragédia do bombardeio aéreo sobre a cidade infeliz e a degradação que tomou conta de tudo.

De igual maneira, *O Grito*, do norueguês Edvard Munch, expressa nessa figura andrógina toda a sua angústia, resultante de uma infância infeliz, de insucessos afetivos, da visão tormentosa de um entardecer de *sangue e de fogo*, que ele tentou expressar em o *Desespero*, sem o haver logrado integralmente, o que conseguiu, logo depois, na outra obra que ficou imortal...

Enquanto a Ciência dirige-se ao intelecto e a reduzido número de indivíduos, a arte, em face das suas expressões, é mais abrangente, sendo aceita por todos, não importando o nível de cultura ou de sentimento, ou de consciência em que se encontre, porque sempre traduz o que se passa no mundo interior dos seus autores, expressando a mesma ocorrência naqueles que se lhe vinculam.

Esta é também uma forma de enfrentamento com o inconsciente, no que o insigne mestre Jung denominou como *a luta mítica contra o dragão*, na representação tradicional de S. Jorge, o vitorioso, o *herói*. Nada obstante, essa é uma luta antiga realizada pelo Espírito que tem necessidade de superar os impedimentos da matéria em que se ergastula durante o processo da evolução, para desvelar as potências nele adormecidas, o seu deus interno.

O *divino* em cada um luta inevitavelmente contra o *humano*, a força transcendente em alerta contra o poder do animal ególatra e escravizador.

Pode-se dizer que se trata de um esforço imenso esse emergir da escuridão da ignorância para a claridade do discernimento e da razão. É a autoconquista realizada pelo *Self* cuja trajetória é interior.

A falta de sentido existencial, portanto, de significado, gera transtornos neuróticos muitas vezes confundidos com outros motivos que seriam os responsáveis pelo desequilíbrio.

Assim, a conquista de objetivo, de um significado básico para a existência é fundamental para o equilíbrio do eixo *ego–Self*.

Na atualidade generaliza-se essa problemática, definida por Jung, já, no seu tempo, como a *neurose geral do nosso tempo*, em razão da constatação da inutilidade a que cada indivíduo se atribui, tornando-se quase invisível no meio social onde se encontra.

Em busca da verdade

O BEM E O MAL

Desde quando a razão e a consciência começaram a desenvolver-se no ser humano, a dicotomia do bem e do mal se apresentou de maneira conflitiva.

Antes, no período de vivência no mitológico *Jardim do Éden*, a *inocência* não pôde identificar o que significava o bem, o que representava o mal, em razão do estado paradisíaco de total ignorância moral. No momento em que os impulsos, especialmente os da sexualidade, quebraram a harmonia existente, impondo-se, tudo era natural, porque defluente das necessidades biológicas. Lentamente, porém, os sentimentos e o discernimento apresentaram-se para estabelecer o que era edificante em relação ao que se fazia perturbador e destrutivo. Nesse surgimento do *Self*, percebeu-se a necessidade de estabelecer-se critérios, iniciando-se pela condenação do incesto, proibindo-se e impedindo-se comportamentos que se consideravam perniciosos, dando lugar ao claro/escuro da fronteira entre o bem e o mal.

Com a sucessão do tempo, estabeleceram-se diretrizes definidoras do que representa um como o outro valor.

As diversas doutrinas religiosas do oriente e as filosofias do ocidente apresentaram normativas de significação para a felicidade e a vivência do que se considerava o bem em detrimento dos comportamentos que produzem o mal.

O maniqueísmo, por exemplo, criado por Manés, nascido na Pérsia, no século III d.C., depois do *aparecimento de um anjo, por duas vezes*, levou-o a selecionar os princípios de algumas doutrinas orientais existentes, do Zoroastrismo e do Cristianismo, estabelecendo que o bem e o mal estão presentes na vida de todos os indivíduos e que o mundo encontra-se dividido exclusivamente nessas duas constantes, sendo o objetivo da existência a vitória da luz contra a treva, da verdade contra a impostura...

O maniqueísmo espalhou-se com muita facilidade pelo mundo de então, apresentando os dois lados do comportamento em forma de sombra e de claridade, no qual os justos, que a tudo renunciassem, lograriam a plenitude.

Embora o Cristianismo, muito antes, mantivesse, de certo modo, a mesma observância, o conceito de Jesus a esse respeito é mais amplo, demonstrando que todas as experiências humanas contribuem para o processo de libertação do ser, da ignorância que nele predomina, sendo o mal uma conjuntura transitória, na qual somente o bem tem prevalência. O apóstolo Paulo, por sua vez, prescreveu que se deve *vencer o mal com o bem.*

Essas propostas, especialmente a maniqueísta, ainda em voga, são portadoras de comportamentos fanáticos, definitivos, gerando graves conflitos na cultura, na sociedade, porque, aquilo e aquele que são bons, que representam o bem para determinado segmento humano, são maus para outro...

Condutas consideradas socialmente aceitas e dignas em um povo, recebem reproche de outro, que as tem em condição de agressividade e de primitivismo.

Esses conceitos, portanto, não podem ser considerados de modo absoluto.

O que significa, porém, o bem? Tudo aquilo que contribui em favor da vida, do seu desenvolvimento ético e moral, a sua construção edificante e propiciadora de satisfações emocionais, é considerado como o bem. Ne-

Em busca da verdade

cessário, no entanto, evitar confundir o de natureza física com a emoção de harmonia, de equilíbrio interior, de felicidade que se adquire por meio de pensamentos, palavras e ações dignificantes, não geradoras de culpa.

O mal, por sua vez, é tudo quanto gera aflição, que se transforma em problema, que trabalha pelo prejuízo de outrem e do grupo social, levando ao desconforto moral, à destruição... Entretanto, do ponto de vista educacional, se for observada criteriosamente essa ocorrência, poder-se-á constatar que muito mal de determinado momento, administrado corretamente, pode transformar-se em grande bem. Por outro lado, o que pode parecer um mal para determinado indivíduo, proporciona-lhe o despertar da consciência, o caminho que o levará ao autodescobrimento.

A dificuldade, muitas vezes, em diferenciar-se no íntimo o que é bem e o que é mal dá origem à *sombra*, que também tem raízes no *ego* dominador e arbitrário.

Allan Kardec, em *O Livro dos Espíritos*, interrogou os Espíritos superiores, conforme a questão de nº 630:

Como se pode distinguir o bem do mal?

E eles responderam:

"O bem é tudo o que é conforme à Lei de Deus; o mal, tudo o que lhe é contrário. Assim, fazer o bem é proceder de acordo com a Lei de Deus. Fazer o mal é infringi-la".[3]

O ser humano é portador de fenômenos lógicos, que nem sempre sabe discernir, que se apresentam conscientes e inconscientes. Inicialmente, no processo evolutivo era todo instinto e paixão, adquirindo através do desenvol-

---

[3] Todas as citações nossas a respeito de *O Livro dos Espíritos,* de Allan Kardec, estão presentes na 29.ª edição da FEB (nota da autora espiritual).

vimento antropológico da evolução a consciência de si, a conquista da razão, dentro de uma área restrita, que ainda não pôde abarcar a totalidade das ocorrências interiores e emocionais, auxiliando-o no comportamento mais compatível com o estágio de lucidez alcançado.

No seu íntimo estão os desejos do prazer ou gozo e a realidade, conforme as conclusões do eminente Freud. Esses impulsos dominadores têm, no entanto, que enfrentar a cultura de cada época, os hábitos estabelecidos, os códigos impostos, dando lugar a que as *pulsões* fossem erradamente consideradas como manifestações demoníacas, forças que o arrastariam para o sofrimento, mais tarde decodificado como o Inferno das religiões castradoras.

Para superar o mal que nele existe, vem-se tornando necessário que estabeleça variados símbolos de transferência ou de projeção, para superar a situação incômoda em que transita. Por essa razão, os sentimentos perversos do ódio, dos desejos irrefreáveis, dos ciúmes, das ambições desmedidas levam-no a transferi-los para outros indivíduos que passam a figurar como as representações demoníacas ou satânicas, suas adversárias. É certo que esse mecanismo ocorre de maneira inconsciente, em forma de fuga da situação vigente para a transformação dirigida ao bem que busca inconscientemente.

Nessa visão torpe e insensata, surge a luta feroz, mediante a qual o bem deve destruir o mal, na qual se devem envidar todos os esforços, mesmo os mais infames para a vitória, que não passa de derrota interior, porque os mecanismos da batalha são nefastos, portanto, igualmente maus...

Em busca da verdade

Esse fenômeno sempre ocorre quando se deseja exterminar um adversário, que pode ser um indivíduo como uma raça inteira, uma ideia como um grupo idealista, apresentando-o na condição de personificação demoníaca contra a qual todas as armas podem e devem ser utilizadas a fim de aniquilá-los.

Em realidade, a substituição do mal pelo bem, ainda conforme o conceito paulino, é o mais eficiente recurso para que se estabeleça o equilíbrio emocional no indivíduo e no grupamento no qual se encontra.

Toda vez, quando alguém se põe contra algo ou alguém, é inevitável que se arme, o que se transforma num mal. Todavia, quando se põe a favor do bem, desarma-se e logo ama, o que modifica totalmente a questão, demonstrando a excelência do seu propósito.

Há uma regra para melhor identificar-se o bem em relação ao mal, que é a utilização do amor em seu sentido amplo e universal, que oferece a resposta mais hábil para a condução equilibrada de si mesmo e o trabalho generalizado em favor de todos.

Nesse momento, alcança-se a consciência moral, que discerne o que se deve e se pode fazer, em relação ao que se pode, mas não se deve fazer, ou se deve, mas não se pode fazer...

Através das reencarnações, o Espírito aprende a compreender o que o auxilia na evolução, o que o entorpece e o retarda, assim identificando os mecanismos poderosos para a libertação da psique do primarismo dos instintos – demônios –, ensejando-lhe a claridade do esclarecimento – a angelitude.

Joanna de Ângelis / Divaldo Franco

A *imago Dei*, que nele se encontra, traz-lhe a *pulsão* do bem, da vida, que rompe as camadas grosseiras das tecelagens cerebrais, a fim de expressar-se em pensamentos, palavras e ações, que assinalam o estágio de saúde real ou de patologias defluentes dos comportamentos impostos pelos instintos.

Responsável pelo amplo discernimento, auxilia a racionalizar o mal, mediante a observância dos resultados dele advindos e dos instrumentos que poderiam ter sido utilizados para efeitos mais consentâneos com o bem-estar e o prazer, em vez de culpa, do arrependimento e da angústia que se lhe instalam no íntimo...

A individuação apresenta-se, a partir desse momento, como todo esse esforço para a união das duas *pulsões* em uma única expressão de vida, que é aquela encarregada de propiciar harmonia, eliminando ou superando os desvios do passado que respondem pelos sofrimentos e conflitos tanto individuais como coletivos.

O estado numinoso, desse modo, resulta da vivência do bem, portanto, simbolicamente da luz, do entendimento, da consciência de si.

A dualidade do bem e do mal no ser humano é fenômeno natural de desenvolvimento da psique, apresentando situações antagônicas, como alto e baixo, belo e feio, claro e escuro, bom e mau, certo e errado...

Jesus, o incomum Psicoterapeuta, utilizou-se de uma bela imagem para essa dualidade quando se referiu ao joio e ao trigo, portanto, àquilo que é danoso na seara e o que é benéfico, porque fomentador de vida. Ao mesmo tempo, propôs que não se resistisse ao mal, ao que equivale a dizer que através da ação cordial e perseverante, sem entrar em

Em busca da verdade

oposição ao pernicioso, consegue-se a situação ideal, a vitória sobre o que é prejudicial.

O bem, portanto, não é ausência do mal, assim como o mal não pode ser considerado como fora do bem, mas experiências que podem ser conduzidas criteriosamente pela consciência para a autoconquista.

Muitas vezes, em face da ausência de consciência moral, o indivíduo interpreta equivocadamente uma ou outra dessas situações, sendo, portanto, a responsabilidade da escolha conforme o nível de conhecimento, de estrutura moral e espiritual.

Do ponto de vista psicológico, a adoção do bem representa saúde emocional e discernimento moral, ambos propiciadores de bem-estar, dando significado à existência, porquanto, à medida que o indivíduo se educa, disciplinando os impulsos decorrentes do primarismo, experiencia verdadeiro estado de plenitude. Isso não o impede de viver momentos de definição, de dúvida, de incerteza, avançando, porém, na linha direcional do equilíbrio que se impôs.

Pensa-se, erradamente, que a prática do bem impede que o mal se apresente. Enquanto não for diluído nos painéis do inconsciente, periodicamente ressuma, em forma da fissão da psique, como *força demoníaca* que deve ser orientada, jamais impedida. Reconhecer, portanto, a presença do mal no *Si-mesmo* já é uma forma de identificar o bem.

Igualmente se confunde o não fazer-se o mal como um grande bem, quando, em verdade, não fazer o bem constitui um tremendo mal, não bastando, portanto, apenas deixar-se de o mal praticar.

Toda vez que se pode iluminar, espraiar o *trigo* generoso e não se realiza esse dever, amplia-se a área de *sombra* e domina o escalracho prejudicial.

E como regra fundamental, para que ninguém tenha dúvida quanto à vigência de um ou de outro no cotidiano, asseverou Jesus com sabedoria: *Vede o que queríeis que vos fizessem ou não vos fizessem. Tudo se resume nisso. Não vos enganareis.*

(*O Livro dos Espíritos*, resposta à questão nº 632)

Os sofrimentos no mundo

A dinâmica da vida estrutura-se nas experiências que capacitam o *Self* à sua plenificação.

Nesse sentido, o fenômeno dos sofrimentos faz parte inevitável da conjuntura existencial, constituindo mecanismo de valorização do equilíbrio interior como diretriz de segurança para a vivência do bem-estar.

Acreditar-se na ausência dos sofrimentos no mundo constitui utopia elaborada pela ilusão decorrente do mito a respeito do *paraíso perdido*, onde tudo contribuía para a felicidade que, certamente, após vivenciada por longo período se tornaria fastidiosa, desinteressante, pela falta de estímulos para novas conquistas e realizações.

O ser humano tem necessidade de constantes desafios que lhe facultam o desenvolvimento dos recursos não conhecidos, que despertam sob os estigmas do desconforto pessoal, das dores, das incertezas, das lutas propiciadoras de conquistas novas.

Em busca da verdade

A ânsia de liberdade plena, por si mesma, é geradora de sofrimento quando da impossibilidade existente de eleger-se apenas o bem em detrimento do mal, em face dos impulsos primários e das circunstâncias hostis da convivência social, que permanecem ínsitos no inconsciente individual assim como no coletivo...

A estabilidade orgânica, igualmente, é portadora de relatividade muito expressiva, porquanto altera-se a cada momento, pelo processo da renovação celular, das injunções emocionais, dos fatores existenciais e reencarnatórios, produzindo os inevitáveis sofrimentos. Ei-los, portanto, de natureza física, emocional, mental, social, econômica e de outras expressões.

Foi a observância desse sofrimento que levou o príncipe Sidharta Gautama, o Buda, à reflexão de que *tudo no mundo é sofrimento*, apresentando as suas *Quatro nobres verdades*, estudando as suas causas e consequências, os mecanismos de libertação e as técnicas da harmonia integral.[4]

Descobrindo a presença da *sombra* inaceitável para a grande maioria dos seres humanos, ele propôs a compreensão da mesma e sua aceitação, trabalhando o eixo *ego/Si mesmo* de maneira a diluí-la, quando causada pelo sofrimento ou do sofrimento gerada.

É normal que o indivíduo se pergunte se é livre para eleger a maneira de viver apenas o bem e, claro, que logo defronta com a resposta em torno dos limites dessa liberdade, como efeito das circunstâncias em que transita no corpo. A opção negativa apresenta o efeito do sofrimento hoje como o recurso para a conquista do equilíbrio mais

---

[4] *Plenitude*, de nossa autoria espiritual, publicado pela LEAL Editora (nota da autora espiritual).

tarde. O denominado mal é uma presença natural no psiquismo, como as experiências negativas do primarismo, que se inscreveram no cerne do ser, definindo os rumos que normalmente se alteram quando a dor se instala e a necessidade de ser feliz apresenta-se em caráter de urgência.

Aí se originam as experiências reencarnacionistas, mediante as quais, em uma existência se reparam os erros da anterior, transformando em conquista o que antes fora prejuízo, aprimorando os sentimentos e desenvolvendo o intelecto, de modo a enriquecer o *Self* e predispô-lo à real individuação.

Muitos obstáculos, no entanto, surgem, nesse cometimento, derivados da *sombra* e de outros arquétipos que são construídos durante a vilegiatura evolutiva.

Nesse sentido, a *criança maltratada* que permanece no ser, continua necessitando do *colo de mãe*, de apoio, de compreensão, a fim de encontrar a libertação, que somente existe no esforço pessoal de cada um ou através da orientação lúcida dos estudiosos do comportamento humano, conhecedores da injunção da *sombra*, do conflito do *anima-us*, do *ego* insatisfeito nos processos psicoterapêuticos especializados...

Enquanto permanecem as ambições infantis, disfarçadas de aspirações do amadurecimento psicológico, os sofrimentos no mundo prosseguem dominando as criaturas em todos os segmentos da sociedade, porque o falso conceito de que bem-estar é ausência de preocupações, de responsabilidades e de enfermidades, predispõe à perda de identidade dos objetivos essenciais à existência, substituídos pelo prazer do imediatismo fisiológico.

Em busca da verdade

Os sofrimentos encontram-se no mundo porque os Espíritos que o habitam ainda permanecem num período de desenvolvimento ético-moral em que a dor lhes constitui uma necessidade psicológica. Proceder bem, para não sofrer, cumprir os deveres, a fim de não ser penalizado, trabalhar pelo progresso da sociedade para fruir benefícios, tornou-se uma transferência do Deus-temor ancestral pelo negocismo interesseiro, mediante o qual Deus retribui em bênçãos tudo quanto se faz de bom, punindo severamente quando se pratica o mal.

O mal como o bem são relativos, não podendo ter um caráter de conceituação absolutista, em face dos seus próprios significados, facultando ao discernimento as boas ações como frutíferas para aqueles que as praticam, em razão da satisfação pelo praticá-las e não apenas pelos interesses pessoais em jogo. Quem conduz perfume impregna-se, da mesma forma como ocorre com aquele que carrega putrefação... Quando se opera em termos de saúde emocional e significado psicológico, satisfações profundas ressumam do inconsciente e tomam conta da realidade consciente, estimulando à continuação do comportamento e da plena sintonia com a *imago Dei*, ampliando o raio de pensamento na direção de Deus.

Nesse acrisolar do arquétipo divino em *Si-mesmo*, estabelece-se um canal com a Causa Absoluta, proporcionando a conquista do *Reino dos Céus*, portanto, o não sofrimento, porque mesmo um desconforto, uma perda, os prejuízos de uma ou de outra natureza deixam de ter a significação que lhes é atribuída, tendo-se em vista o essencial para a psique, que são as aspirações do belo, do quase inatingível, do transcendente...

Os sofrimentos no mundo, portanto, defluem dos dramas existenciais dos indivíduos em desajuste e em carência afetiva, *tresmalhados do rebanho*, aguardando que o pastor deixe as demais ovelhas para buscá-los. É nessa fase conflitiva que o herói adormecido assume a postura do *filho pródigo* que parte para *um país distante*, que são as experiências inusitadas, muitas vezes transformando-se em sofrimentos que o trazem de volta ao regaço do *pai misericordioso* que o aguarda, sempre olhando a estrada que ele deverá percorrer no retorno ao lar.

Por outro lado, podem-se considerar os sofrimentos como *talentos* que são concedidos para dignificar os seus possuidores que os deverão aplicar de maneira produtiva, mantendo a resignação e a coragem, qual aconteceu no *mito de Jó*, quando esse, testado e espoliado pela Divindade, permaneceu-Lhe totalmente fiel e confiante. Ele amava a Deus, não pelo que d'Ele havia recebido, mas pelo efeito da Sua paternidade. Apostando com *Satã*, esse outro mito arquetípico do inconsciente humano, Deus resolveu experimentar Jó para provar que ele Lhe era fiel, e o servo tornou-se digno de receber a recompensa que o levou de volta à paz e à alegria de viver.

Esse Deus, naturalmente antropomórfico, na visão junguiana, é um *tremendum*, pelo aspecto aterrador que assumiu, quando, na sua antinomia, apresentou a outra face, a da misericórdia e do amor, recompensando aquele que permanecera confiante, mesmo quando o sofrimento alcançara limites quase insuportáveis.

Compreende-se, desse modo, a resistência de muitos indivíduos que, em se encontrando sob tormentos e aflições inomináveis, permanecem confiantes e seguros da

Em busca da verdade

misericórdia divina, em face da certeza de que jamais estão abandonados.

Os mártires de todos os tempos, as vítimas dos holocaustos de todas as épocas deram esse testemunho de Jó, mantiveram o *Self*, na fragmentação individual da Divindade mesma, harmonizando-se e permanecendo em vinculação com Deus.

Encontramos essa antinomia nos dois Testamentos: no Velho, Deus é inclemente e gosta de ser temido, enquanto que no Novo, é misericordioso e compreensivo, desejando somente ser amado na condição de Pai. Eis, pois, que se encontra presente no *Self* essa fissão da psique, aguardando a ocorrência da fusão mediante a superação da *sombra* pela presença do amor.

Desse modo, o mal não desaparecerá de um para outro momento do mundo, porque ele é o inverso do bem a se transmudar, adquirindo as qualidades do último. Assim, mesmo no auge das amarguras, dos desaires, das aflições, de tudo quanto significa o mal gerador dos sofrimentos, existe da luz uma réstia em plena treva (*sombra*) apresentando a solução, propondo o reencontro com Deus.

Além da consciência do ser, no psiquismo profundo, temporariamente Deus apresenta-se nesse aspecto ambivalente: o temor e o amor, que atendido pelo *Self* capaz de discernir, irá fundir-se no amor, no processo de iluminação interior, saindo da *sombra* existente.

Quando se sabe encarar o sofrimento como uma necessidade de entendimento do *ego* com todas as suas máscaras, inclusive a do bem aparente, o trágico e o desvalimento transformam-se em alicerce para a construção da realidade humana, no seu sentido divino e transcendente, porque o ser, em si mesmo, é indestrutível, é imortal.

Como valioso contributo para a vitória nesse teste da evolução, a prece, que significa a comunicação com Deus através do pensamento otimista e confiante, proporciona a captação de energias poderosas que dão resistência para as lutas transitórias que se encarregam de eliminar as sucessivas camadas de primitivismo, de paixões asselvajadas em predomínio, diluindo-as até o cerne onde está a *imago Dei*, gentil e pura, aguardando ser encontrada para tomar conta do indivíduo todo.

Os sofrimentos, portanto, no mundo, são portadores de variada conceituação, de significados específicos e próprios, dependendo daqueles indivíduos que os experimentam, tornando-se grande mal para uns e superior bem para outros.

Estranham-se, muitas vezes, as resistências morais de que são portadores determinados indivíduos que, postos a provas de sofrimentos inenarráveis, permanecem tranquilos e estoicos, como ocorreu durante o holocausto do povo judeu nas garras impiedosas dos nazistas.

Muitas dessas vítimas, após a libertação, em vez de se deixarem consumir pelo ódio contra os seus algozes, buscaram auxiliá-los e trabalhar pelo renascimento do país. Quando interrogados, afirmaram: – *O ódio não nos trará de volta os afetos assassinados, as alegrias roubadas, a saúde vilipendiada, a vida perdida... Somente pelo amor poderemos demonstrar que nenhuma força física, política ou social é mais poderosa do que a confiança em Deus...*

Dentre muitos desses sobreviventes, um deles de nome o *Alegre Gui*, que houvera padecido horrores no

Em busca da verdade

campo de extermínio de Auschwitz, prosseguiu sorridente e gentil auxiliando o povo que o havia esquecido e aqueles que o haviam infelicitado em hediondos processos de crueldade...

Apesar dessas reflexões, existem indivíduos emocionalmente fragilizados que, diante do sofrimento, vinculados teoricamente a qualquer denominação religiosa, sentem-se defraudados e interrogam aflitos: – *Por que Deus permite que isso me aconteça? Onde está Deus que não me vem em socorro? Será que, realmente, existe Deus?*

O seu conceito a respeito da Divindade é mágico, retrocede ao período primário em que o arquétipo do miraculoso predominava no seu inconsciente, a tudo resolvendo, impedindo que acontecessem as experiências iluminativas, ou cujas conquistas podiam ser conseguidas mediante o tráfico de milagres por meio de espórtulas, dízimos, doações materiais...

Pululam ainda hoje na sociedade pacientes portadores dessa estrutura emocional deficitária.

A verdadeira fé, aquela que é racional e se fundamenta na experiência da imortalidade, é a única portadora das resistências morais para os enfrentamentos que se expressam como solidão, sofrimento, silêncio, expectativa, angústia...

Quando qualquer desses fenômenos psicológicos que produzem dor se abatem sobre os portadores de espiritualidade ou de maturidade emocional, ei-los que possuem um reservatório de forças transcendentes que haurem em Deus e logram superar as situações mais perigosas e os acontecimentos mais afligentes e danosos.

É fácil a constatação desse fato nos enfermos pelos quais se ora, que conseguem, sem saber desse contributo de estranhos, apresentar melhoras nos problemas orgânicos que experienciam. Quando, por sua vez, oram, adquirem mais resignação, enfrentam a situação de maneira saudável e recuperam-se mais rapidamente. Por fim, quando se ora por eles, e, tendo conhecimento eles também oram, os efeitos são muito mais imediatos e, durante o trânsito da enfermidade, as terapias tornam-se mais eficientes.

Compreende-se que, essas pessoas, em face da fé, da força mental de que dão mostras, estimulam os neurônios a produzirem as substâncias propiciadoras do reequilíbrio, da saúde, da harmonia.

Quando Jesus era convidado a curar alguém, Ele sempre interrogava: – *Tu crês que eu te posso curar?* Ou: – *Tu queres que eu te cure?* Desse modo, ensejava a contribuição do próprio paciente no processo de recuperação, produzindo neuropeptídeos responsáveis pelo refazimento orgânico, emocional e mesmo psíquico, tornando-se receptivos à força que d'Ele emanava.

A ação, portanto, da vontade, em qualquer área de comportamento, é relevante, por ensejar a produção de neurocomunicadores que promovem a saúde.

A fé religiosa saudável, bem-direcionada, também adquire e oferece significado à existência humana, emulando o crente ao prosseguimento dos compromissos que abraça, dignificando-se com os esforços que empreende para ser sempre melhor e numinoso, como resultado das disposições internas voltadas para a felicidade.

Os indivíduos dúbios, imaturos psicologicamente, encontram-se despreparados para o sofrimento, sempre esperando que a solução venha do exterior, de outrem, permanecendo na mesma dependência em que transcorre a sua existência, sem o esforço pessoal para a aquisição da consciência lúcida e produtiva.

À medida, portanto, que sejam adquiridas a consciência de si, a compreensão do significado existencial, o dever de superar a *sombra* após aceitá-la, o sofrimento cede lugar ao estágio de harmonia propiciadora de individuação.

A INDIVIDUAÇÃO

A busca do significado na existência humana deve expressar-se no rumo da individuação, o que equivale a dizer, da própria identidade, que não se circunscreve ao conceito de individualismo, mas de individualidade, que induz ao conhecimento real do que se é, e não apenas do que parece ser no turbilhão das exterioridades do *ego*.

Para o eminente Jung, o criador do termo, o significado é que a *existência se realize* como individualidade do *Self*, como perfeita integração do *Si-mesmo, da sua totalidade*, o que não significa *sua perfeição, que constitui um ideal...*

Trata-se do esforço que deve ser envidado para que se alcance a perfeita consciência da sua realidade, sem disfarces, como realmente cada um é, sem o conflito de somente apresentar-se com características que não são verdadeiras.

Compreende-se que se trata de um esforço titânico, porque o arquétipo numinoso do *Self* apresenta-se como um tentame que pode ter repercussão perturbadora inesperada, como no caso, da autopresunção de desejar tornar-

-se um super-homem – *Übermensch* –, conforme sonhado por Friederich Nietzsche, no seu delírio masoquista, ou um homem-deus...

Indispensável evitar-se tais ambições, considerando que a conquista não pode levar a esquecer-se a realidade do ser individual que se é, os limites naturais de humanidade que o caracterizam.

Enquanto o *Self* é a expressão da divindade interna no ser humano, nessa busca, a da individuação, deve apequenar-se até a postura do *ego*, tornando-se consciente da sua condição imensurável da psique, sendo, simultaneamente, o seu conteúdo mais significativo e real.

Isso exige um grande confronto em luta contínua com os *constructi* do inconsciente, eliminando, ou iluminando as pesadas condensações da *sombra*, das experiências dolorosas umas, infelizes outras, abençoadas algumas e frustrantes diversas...

Trata-se da conquista dos valores que se encontram programados para o *vir a ser*, e que podem ser logrados mediante o esforço de superação sobre o *ego,* por meio das renúncias e compreensão do significado existencial.

Não se consegue essa meta a golpes aventurescos, sob entusiasmos e exaltações da *persona*, porém, mediante conquistas diárias, lentas e seguras, que vão sendo incorporadas ao consciente, na razão que liberta os traumas e conflitos do inconsciente. Essa individuação pode apresentar-se num conteúdo espiritual, artístico, cultural, científico, de qualquer natureza, porquanto a sua meta é a ampliação da consciência além dos limites habituais em forma de compreensão da vida em todas as suas dimensões.

Em busca da verdade

Isso se dá através das transformações dos conceitos existenciais, conduzindo o indivíduo à superação dos arquétipos perturbadores – *persona, sombra, anima-us* – em uma consciente integração. Somente aceitando a vida – a realidade existencial – conforme é, e trabalhando para que se apresente melhor, desenvolvendo o autoamor – respeito por si mesmo, autotransformação, intelectualização e moralidade – a fim de poder entender e participar da convivência com as demais pessoas.

Essa integração do *Self* com a realidade confere responsabilidade consciente ao indivíduo, que supera as injunções habituais dos percalços das enfermidades, das fugas psicológicas, das transferências da culpa, da *criança maltratada*, para lograr a maturidade psicológica libertadora.

Através do processo da evolução, houve alienação em referência aos instintos, por castração, por imposições de falsa moral, de reproche ao mundo, o que tornou a consciência distante da realidade, tornando-se necessário agora, como impositivo, o retorno à compreensão de todos os valores e à conduta saudável das ocorrências do cotidiano.

O desenvolvimento da inteligência contribui de maneira objetiva para a conquista da individuação, mas não através do intelectualismo sem a cooperação da conceituação moral, do sentido ético-filosófico do comportamento.

No conceito junguiano, a individuação plena e total não pode ser conseguida, por motivos óbvios, em face da sua transcendência à consciência, o que significa a momentânea impossibilidade de o Espírito alcançar os horizontes infinitos da perfeição, somente pertencente a Deus.

Dentro desses limites que lhe dizem respeito, a plenitude significa um estado de iluminação e de paz, não de conquista absoluta, na relatividade do seu processo evolutivo.

Cada indivíduo é portador da sua própria programação existencial, trabalhado pelos recursos defluentes das conquistas alcançadas no carreiro das reencarnações, não constituindo a etapa atual o último passo, a situação definitiva, mas sendo, isto sim, um segmento do conjunto que abarcará, um dia, quando conseguir libertar-se do impositivo da evolução.

Todo o seu esforço deve ser direcionado em favor da superação dos impulsos dos instintos agressivos e de natureza egoica, desenvolvendo os sentimentos de identificação com a harmonia e o bem-estar, com os labores da solidariedade, que fomenta o progresso de todos, a autoiluminação.

Desse modo, o *Self* é específico e individual, embora o seu caráter *coletivo*, ainda no conceito junguiano, porque representa a unidade que deve ser conquistada como o destino que o aguarda.

Nessa realização individual, o *Self* reunirá os conteúdos inconscientes aos conscientes, conseguindo uma harmonia que faculta a perfeita lucidez da destinação humana sem os atavismos perturbadores do passado nem as ambições desenfreadas em relação ao futuro. Esse trabalho é possível, na razão direta em que o mesmo vai penetrando nos depósitos do inconsciente e libertando as fixações e imagens ancestrais, que respondem pela desorientação do indivíduo, sempre quando emergem, gerando conflito com a consciência, com os valores éticos estabelecidos, com as necessidades que se impõem.

Em busca da verdade

Quando se inicia a identificação desses conteúdos graves, normalmente surgem a angústia, a rejeição de si mesmo, a surpresa com os significados mórbidos e perversos, vulgares e destituídos de sentimento, que se encontravam adormecidos, podendo produzir alguns transtornos neuróticos... No entanto, perseverando-se no objetivo, passa-se a outro nível do inconsciente, com diferentes conteúdos amenos e estimulantes. É normal que isso tenha lugar, porque toda vez que se mergulha em águas acumuladas, chega-se até os depósitos de lama, que após vencidos, permitem a transparência cristalina do líquido armazenado.

No esforço empreendido, vão-se dando as transformações emocionais e os aspectos da saúde sob os vários ângulos considerada, constituindo grande motivo de prazer e de alegria ante a perspectiva do encontro com o repouso, a paz, o *Nirvana*...

Após as primeiras experiências nirvânicas, a sede de progresso, de imortalidade, de sublimação retorna, e o trabalho interior prossegue, porque o repouso absoluto seria a negação da própria vida, a perda de sentido psicológico da evolução.

Não foi por outra razão que Jesus enunciou que o Reino dos Céus está dentro de cada indivíduo, propondo a reflexão profunda e a autoconquista como meios para a libertação das anteriores aquisições alienantes e dos desejos do *ego* presunçoso.

O conceito, portanto, de individuação, de totalidade, abrange a conquista dos conteúdos possíveis de conscientização, que desaparecem nos significados psicológicos elevados que cada qual estabelece como sua meta existencial.

Esse tentame, naturalmente propõe novos paradigmas de comportamento que surpreendem, porque o novo e desconhecido são sempre motivo de preocupação e de mau entendimento. Tais paradigmas, no entanto, estão ínsitos no ser, porque são uma visão nova de perspectivas de conduta e de aspiração de vida, interpretação diferenciada do aceito e comum, das circunstâncias caóticas que devem ser modificadas e do esforço pessoal em benefício do equilíbrio geral. Quando isso não ocorre, estabelece-se a neurose moderna, como a que toma conta da sociedade atual.

Esse tipo de transtorno neurótico expressa-se em forma de ansiedade, de insatisfação, de frustração, de desconfiança e de solidão, asfixiando os mais belos ideais da Humanidade intelectualizada, tecnologicamente rica e profundamente infeliz em seu sentimento pessoal.

Os efeitos imediatos são as depressões bipolares na área da afetividade, a síndrome do pânico, as fugas hediondas pelo suicídio, pelo homicídio, as opções tormentosas pela violência, pelo estupro, pelo esdrúxulo e primitivo no comportamento para chamar a atenção, em face do desprezo que as suas vítimas sentem por si mesmas. Ante a impossibilidade de considerar a sua valorização pelos significados nobres, assumem as agressivas posturas que lhes atendem ao desconforto interior, tornando-se temíveis, por saber que não são amadas, em carência profunda e em estado de infância abandonada...

Desse modo, a busca da individuação é também a maneira psicológica de encontrar-se o melhor meio para o bom relacionamento com o *Si-mesmo*, com o outro, com a sociedade.

Em busca da verdade

Não se pode viver de maneira saudável sem considerar-se a presença de outrem no contexto social, sendo, por sua vez, o outro daquele...

Algo somente passa a ter existência real na consciência quando é pela mesma detectado. Observar-se algo ou alguém é também ser observado por esse objeto ou pessoa em observação. Inevitavelmente, nesse momento, dá-se um relacionamento, um descobrimento do outro, a necessidade de intercâmbio com ele, a sua convivência, que constituem a forma de cada qual existir e ter valor no mundo.

Por tal motivo, o isolamento, o distanciamento da sociedade sob a justificativa de encontrar Deus e melhor servi-lO, oculta uma alienação defluente de algum conflito forte em relação ao próximo, uma agorafobia que pode ter razão profunda na libido atormentada, na culpa maldisfarçada. A fuga do mundo não impede que o indivíduo se leve até onde for procurar esconder-se.

No início da divulgação da Doutrina Cristã, especialmente no século III d.C., houve uma *epidemia* de eremitas, de pessoas que buscavam a solidão, de processos autopunitivos ou de busca pela autoflagelação, caracterizando a morbidez da cultura e o alto índice de tormentos que assolavam a ética e a sociedade, que se comprazia no deboche e nos absurdos de conduta, fugindo para a libertação dos conflitos. Infelizmente, porém, tornaram-se mais exemplos de inutilidade e de egoísmo do que de serviço ao bem, às propostas de Jesus, que optou pela convivência com os infelizes, a fim de ajudá-los a libertar-se de si mesmos, das suas misérias, das suas dores. Convivendo com a ralé, manteve a sua aristocracia espiritual, demonstrando o mais elevado nível de individuação, do *Self* totalizado e em integração perfeita com Deus, em nome de Quem viera para amar e ensinar a conquista da saúde total e da felicidade às criaturas, constituindo-se o mais elevado exemplo de vitória sobre as circunstâncias e ocorrências de que se têm notícias.

Seguir-Lhe o exemplo, reflexionar nas Suas palavras, sobretudo nos Seus exemplos, é a mais segura diretriz para encontrar-se a individuação.

Mediante a conquista da individuação, a fissão da psique torna-se unidade.

9
BUSCA INTERIOR

IDENTIFICANDO O INCONSCIENTE •FÉ E RELIGIÃO•
PENSAMENTO E AÇÃO

O mundo objetivo, a realidade das sensações exercem um poderoso controle sobre a psique humana, em face das restrições e condicionamentos defluentes dos seus significados.

Encarcerado o *Self* nos condutos cerebrais pelos quais se expressa, na infância registra ocorrências que serão as matrizes do seu comportamento, dando lugar às manifestações de equilíbrio ou desarmonia que acompanharão o indivíduo por toda a existência. Em razão da anterioridade ao corpo, traz, também, armazenados no perispírito os contributos das vivências passadas, que se manifestam, desde cedo, como tendências, aptidões, anseios ou conflitos, inquietações, impulsos autodestrutivos, de sublimação e complexos de comportamentos que irão tipificar o ser humano.

Carregando, no entanto, ínsita no cerne das estruturas energéticas desse mesmo *Self*, a *imago Dei*, lentamente indu-lo às conquistas dos espaços, à ampliação do entendimento de si mesmo e dos outros, à saída dos contornos limitados da organização cerebral, às percepções de outras realidades, incluindo as de natureza paranormal, que muitas vezes encontram-se fixadas na superconsciência, facultando a descoberta do mundo da energia com as suas variações surpreendentes.

Fenômenos incomuns, inabituais, surgem na infância, estados paroxísticos apresentam-se espontâneos, *alucinações* surpreendentes ocorrem, durante toda a existência, chamando a atenção para a vida em outras dimensões.

A força, porém, incoercível, da matéria e dos seus implementos, os condicionamentos orgânicos e os mecanismos convencionais da educação e do conhecido, criam embaraços a essas manifestações, produzindo recalques e castrações, quando não produzem os fenômenos do pavor e os conflitos psicológicos que empurram para alienações e desastres de conduta.

Ocorre, porém, que a mediunidade é uma *faculdade orgânica* inerente a todos os indivíduos, conforme a definiu com segurança o mestre Allan Kardec, estabelecendo metodologias e disciplinas de educação e aprofundamento das suas expressões.

A vida, em consequência, rompe a barreira do mundo físico e das suas manifestações para expressar-se, em toda a sua plenitude, como de natureza energética ou espiritual, constituindo a realidade pulsante de onde emerge a de formação material, por onde o Espírito transita muitas vezes, em períodos breves estabelecidos entre o berço e o túmulo.

Em busca da verdade

A psicologia analítica não pode negar-se a uma investigação honesta em torno do tema, considerando as próprias experiências paranormais de que foi objeto o eminente neurologista e psiquiatra Jung, conforme as suas próprias narrações e todos os tumultos em que esteve envolvido, atraído pelo *invisível* e resistente ao seu apelo irrefreável.

Foi necessário que uma enfermidade o fizesse diminuir o controle sobre a consciência, a própria resistência, a fim de, logo depois, escrever a sua *Resposta a Jó*, realizando a extraordinária façanha quase que de uma só vez, informando que se sentiu *pegar o espírito pelo cangote (que) foi o modo pelo qual este livro nasceu*.

Outras marcantes experiências levaram-no a interessar-se pela fenomenologia mediúnica, sendo ele próprio instrumento constante para a sua ocorrência, especialmente quando, na Inglaterra, passando fins de semana numa residência assombrada no ano de 1920, confessou o estado de ansiedade que o dominava à noite, quando ocorriam diversas manifestações estranhas, ruídos que se assemelhavam ao *roçar da seda e ao gotejamento*. Entretanto, foi nessa ocasião que observou uma aparição, à distância de cinquenta centímetros, sobre um travesseiro, que era a cabeça de uma mulher, em constituição semissólida, com um dos olhos semiaberto, que nele se fixava. Ao término do fenômeno, que se prolongou por alguns minutos, ele acendeu uma vela e ficou o resto da noite sentado em uma poltrona meditando.

Mas essa foi, somente, uma das muitas ocorrências parapsíquicas que lhe sucederam durante a existência desde a infância, devendo-se recordar que a sua genitora havia sido médium, e que o seu avô referia-se ao aparecimento da esposa desencarnada, que se sentava numa poltrona que mantinha no seu gabinete e lhe ditava alguns dos sermões.

Ainda, segundo informações de sua secretária, Aniela Jaffé, o grande pesquisador participou, conforme fizera antes com sua prima, no começo da sua carreira, de experimentos com o extraordinário investigar Schrenck-Notzing, tendo como médium o famoso Rudi Schneider, que produzia fenômenos de materialização. Isso durante o ano de 1920. Mais tarde, em 1930, assistiu a outras experiências de materialização com o referido investigador e outros cientistas.

Em decorrência de muitas reflexões nesse campo, acentuou, oportunamente: *Se, de um lado, nossas faculdades críticas duvidam de todo caso individual de aspecto espírita, somos, contudo, incapazes de demonstrar um caso sequer da não existência de Espíritos. Devemos, por esse motivo, limitar-nos, a esse respeito, a julgamento* non liquet, *ou seja, não está claro, a coisa oferece dúvida, não está bem esclarecida, há necessidade de maiores informações.*

Noutra oportunidade, escreveu: *Embora eu nunca tenha feito qualquer notável pesquisa original nesse campo (psíquico), não hesito em declarar que observei uma quantidade suficiente de tais fenômenos (participando, então, das surpreendentes pesquisas do barão Albert Schrenck-Notzing), que me convenceram inteiramente de sua realidade.*

Não pôde Jung dedicar-se a esse campo experimental porque a sua tarefa científica era outra, à qual deu toda a existência, abrindo horizontes quase infinitos para a psi-

Em busca da verdade

que, em favor da construção da Psicologia Analítica, muitas vezes combatida com vigor pelos adversários gratuitos de todas as ideias novas.

O espaço das pesquisas ficou em aberto para os seguidores e discípulos do valoroso mestre do estudo da *realidade esmagadora*, procedendo a pesquisas exaustivas, nele mesmo e nos seus pacientes, para mergulhar mais no contexto histórico e psicológico da vida.

A mediunidade, inerente a todos os seres humanos em diferenciado grau de desenvolvimento, influi no comportamento do ser psicológico, dando lugar a conflitos parapsíquicos, muitas vezes interpretados como pertencentes à realidade objetiva.

O ser humano é, desse modo, muito mais complexo do que a dualidade psique/corpo, mente/matéria, nele se encontrando o Espírito imortal e o seu envoltório perispiritual, encarregado da modelagem das formas físicas nas multifárias reencarnações.

Mediante a visão espiritual do ser, muitos conceitos junguianos encontram confirmação de alto significado, por estarem centrados na realidade subjetiva expressa por intermédio da vasta fenomenologia mediúnica e pela conjuntura de ser o indivíduo possuidor de recursos não próprios, que se lhe associam mediante o intercâmbio com outros seres desencarnados que o cercam e que fazem parte do seu comportamento psíquico, emocional e físico.

A busca interior não se pode deter na periferia da realidade física, mas penetrar no cerne do ser e das suas faculdades, ampliando o elenco de realizações com a visão

Joanna de Ângelis / Divaldo Franco

do indivíduo adimensional, o *Self* com os seus atributos divinos.

IDENTIFICANDO O INCONSCIENTE

A nossa abordagem a respeito do inconsciente, no presente item, refere-se ao coletivo e não ao individual, onde se encontram os mais antigos arquétipos e se sediam inúmeras emoções, como o medo, a angústia, a ansiedade, a vida e a morte...

Esse inconsciente encontra-se nas camadas mais profundas da psique, constituindo-se os arquivos mais significativos e duradouros de que se têm notícias.

Abarcando o conhecimento geral dos acontecimentos do passado, responde por inúmeros conflitos que assaltam a criatura humana, revelando-se, especialmente, nos sonhos repetitivos, simbólicos e representativos de figuras ou fatos mitológicos, cuja interpretação, além de complexa, constitui um grande desafio.

A Psicologia Analítica, através do seu fundador, nele deposita a existência dos arquétipos, especialmente do *Self, anima-us, ego, persona, psicoide*, sendo, realmente, desconhecido, tendo também um caráter de um *constructus* energético não localizado, constituindo, em últimas palavras, uma hipótese, pela imensa dificuldade de demonstrá-lo de maneira concreta...

O conceito do inconsciente, de alguma forma, nessa significação, é muito antigo, do ponto de vista filosófico desde Plotino, passando por Platão, na antiguidade, e

Em busca da verdade

prosseguindo com Leibnitz, Goethe e outros pensadores de ontem como da atualidade.

A sua observação não pode ser realizada de forma objetiva, mas somente penetrada nas suas estruturas, psiquicamente, quando se lhe detecta o essencial. Não pode ser constatado, mas aceito por conclusão, o que também não tem como ser negado.

A sua concepção por Jung foi resultado da lógica de que existindo uma consciência, haveria, por efeito, um inconsciente qual satélite girando em torno de um foco central...

É ele o responsável pelas imposições sobre a consciência, comandando-a quase, assim dando lugar à existência dos arquétipos, que são as suas seguras manifestações. Enquanto a consciência é apenas uma pequena parte da realidade, ele é a quase totalidade na orientação do ser humano.

Numa análise moderna, tendo por alicerce os conceitos reencarnacionistas, pode-se afirmar que essas fixações, que pertenceriam aos tempos passados, também resultam de experiências que foram vividas pelo *Self*, nas épocas e situações, nos povos e culturas que tem arquivado e periodicamente expressa.

Como o *Self* tem sua realidade além do tempo, é mortal no corpo e imortal após ou antes do corpo, ei-lo que preserva os acontecimentos em que esteve envolvido, mantendo uma camada de olvido em cada renascimento, no entanto, portadora de recursos libertadores das impressões mais fortes, que nele se apresentam como conflitos e perplexidades, distúrbios de conduta, estados fóbicos, mas também afetividade, idealismo, significação...

Nos processos psicoterapêuticos de regressão de memória a existências passadas, por exemplo, ressumam desses arquivos as vivências perturbadoras, os fatos causadores de traumas e de sofrimentos que, após a catarse e o diálogo saudável entre o paciente e o especialista, se diluem, libertando a consciência do objeto de desequilíbrio. O inverso também é verdadeiro, porque o arquivo, em si mesmo, é neutro. Existem gráficos edificantes, realizações enobrecedoras que ficaram interrompidas com a morte, anseios não realizados, porém, de vital importância para o ser e sua realidade.

Essas *imagens primordiais*, conforme as denominou Jung no começo das suas investigações, possuem grande força de expressão, porque umas são lembranças doridas, recalcadas e impedidas de manifestar-se, por atentatórias aos valores éticos aceitos, dando lugar a inquietações e sofrimentos. Outras, por sua vez, são também imperiosas pelas propostas de dignificação e de ações que constroem o bem interior e ajudam no desenvolvimento da comunidade humana.

Na abrangência do conceito reencarnacionista e todo o seu conteúdo de lembranças arquivadas, mas não mortas, a existência atual de cada indivíduo é sempre o somatório daquelas vivências que necessitam de liberação.

Não poucas reaparecem como tendências e aptidões guiando o *Self* e o *ego,* que também lhes sofrem as influências, conforme a natureza de cada fato que representam.

Em busca da verdade

Nos sonhos, e através da imaginação ativa, consegue-se encontrar os símbolos representativos que, em se tornando conscientes, liberam o indivíduo da sua incidência e da ação morbosa da representação onírica portadora de conflitos.

Examine-se, por exemplo, a questão da homossexualidade, que tem raízes em múltiplas vivências do *Self*, ora num como noutro corpo anatomicamente masculino ou feminino, preservando as emoções de um como do outro equipamento.

Por outro lado, a culpa, o pavor, a timidez, que têm raízes próximas a partir da vida intrauterina – consciente individual – procedem, quase sempre, de atitudes indignas que foram praticadas em existências transatas, passando ignoradas por todas as pessoas menos por seu autor, que os transferiu, na condição de conflito, de uma para outra existência corporal.

As tendências para o bem, o bom, o belo, o santo, em pessoas de procedência humílima, nascidas em situações deploráveis, com ascendentes genéticos perniciosos ou incapazes de produzir seres bem-equipados para a vida, apresentando gênios, heróis e missionários de diversos tipos, que se tornam promotores da Humanidade pelos seus exemplos, sua dedicação ao ideal que esposam, seus sacrifícios homéricos em clima de felicidade, merecem reflexões mais profundas.

A proposta da reencarnação torna-se, pelo menos, uma possibilidade a considerar, qual ocorre nos fenômenos da simpatia, da antipatia, em muitos casos de sincronicidade, de premonição, nos sonhos proféticos...

Tenham-se em mente os indivíduos belicosos, que descendem de famílias pacíficas, assim como os privilegiados pela capacidade de adquirir e multiplicar conhecimentos, habilidades, expressões de sabedoria e de arte, de tecnologia e de pensamento, com antecedentes em indivíduos broncos, senão incapazes alguns, e se verificarão evidências de vida-antes-da-vida...

Estudem-se em comparação sincrônica as vidas de Alexandre Magno, Júlio César e de Napoleão Bonaparte, e se encontrará o mesmo *Self* ambicioso, conquistador, inquieto, modificando as estruturas geográficas e históricas da Humanidade.

Por outro lado, examinem-se as vidas de Hipócrates, de Paracelso e de Samuel Hahnemann, na luta sacrificial em favor da saúde, e se poderá encontrar o *Self* missionário, trabalhando a Ciência médica, modernizando o conhecimento num processo progressista, com destino de abnegação e serviço proporcionadores do equilíbrio psicofísico e do bem-estar. Graças aos seus contributos as doenças passaram a merecer cuidados e providências curativas, tornando a existência mais apetecível e menos sofrida.

Há um encadeamento intérmino em todos os fenômenos da Natureza, desde a formação das primeiras moléculas, suas aglutinações e complexidades até a transcendência do ser, da vida, de todas as ocorrências.

A visão do caos como caos é incorreta, em razão de nele haver algum tipo de ordem, de determinismo, de programação...

O ser humano é imanente e é transcendente.

À medida que o seu superconsciente mantém as ainda não detectadas possibilidades de sintonia com o divino, registrando o psiquismo da vida, o inconsciente individual preserva as experiências da atual jornada, enquanto o coletivo arquiva as lembranças de todas as vivências pretéritas.

Os exercícios de meditação, os treinamentos da *yoga*, as leituras edificantes com as consequentes fixações e reflexões, a oração bem-direcionada e frequente constituem mecanismos seguros de penetração no inconsciente, nele diluindo impressões infelizes, estimulando lembranças honoráveis, enquanto se abrem as comportas do superconsciente para a captação das forças sublimes da Paternidade divina.

Sem dúvida, vive-se mais sob a ação dos fenômenos automáticos, das imposições do inconsciente, em face da necessidade de liberação dos fatores de perturbação, que necessitam da catarse libertadora, a benefício da lucidez e plenitude do *Self*, da aceitação da *sombra*, da harmonia do *anima-us*, rumando-se em direção da felicidade.

Afirmava Sêneca: *O sofrimento faz mal, mas não é um mal.*

A existência do sofrimento radica-se nas ações inescrupulosas praticadas pelo Espírito, dando lugar à culpa e, por consequência, aos efeitos morais dela defluentes, nos atentados aos códigos de harmonia que vigem no universo.

Na impossibilidade de se evitar o mal, porque é um efeito, por não se poder retroceder no tempo, a fim de impedir-lhe a causa, tem-se, pelo menos, o dever de utilizar-lhe a ocorrência em proveito da aprendizagem pessoal, a fim de mudar-se o comportamento, de selecionar-se o melhor método para a produção da harmonia e do bem-estar, portanto, da felicidade a que se aspira.

Joanna de Ângelis / Divaldo Franco

Todos anelam e lutam pela conquista da felicidade, quase desconhecida pelo inconsciente, mesmo quando se impondo sofrimentos, na expectativa das sensações posteriores que representam alegria e serenidade. Nessa visão, a felicidade tem um aspecto masoquista que deve ser evitado, porque o prazer não pode estruturar-se, primeiro, no desconforto como propiciatório àquela.

Em sânscrito, existe a palavra *sukha*, tendo como significado um estado de harmonia, de *nirvana*, que liberta da ignorância da verdade, abrindo espaço para a sabedoria, para o entendimento das leis geradoras de equilíbrio e de plenitude.

Enquanto o inconsciente permaneça ignorado pelo *ego*, que se atribua a capacidade de impôr-se ao *Self*, na tormentosa ambição do poder e do prazer, serão liberadas impressões destrutivas, porque tormentosas, insustentáveis.

É impositivo primordial para a saúde a penetração do ser consciente nos arquivos do inconsciente, equipado, no entanto, de entendimento e de valor moral, a fim de autoenfrentar-se, não se permitindo o surgimento de conflitos pelo descobrir-se como realmente se é, e não conforme se pensa ou se projeta para o mundo exterior.

A Psicologia Espírita, utilizando-se do paradigma da imortalidade para explicar o ser real e todas as suas mazelas e grandezas, propõe o esforço bem-direcionado pelo benfazer, pelo fazer-se bem, na utilização do amor, da compaixão, da benevolência em relação a todos e a si mesmo, que são recursos valiosos para a integração do eixo *ego–Self*, a conquista de *sukha*.

Não se trata aqui de fazer o bem para ganhar o céu, ou de praticar-se a caridade para lograr-se *a salvação. Céu* e *salvação* encontram-se ínsitos no ato de realizar o melhor em favor de si mesmo e do seu próximo, isto porque, a satisfação com que se administram valores de bondade, de ternura, distribuindo-se alegria e generosidade, já constitui a almejada felicidade.

Feliz, portanto, é todo aquele que reparte com prazer, multiplicando os *talentos* com que foi enriquecido pelo Senhor da Vida, despertando do letargo para *voltar para casa*, retornando do *país longínquo*, mesmo que algo destroçado, abrindo-se à aceitação do amor do Pai, sempre generoso, e do *irmão mais velho*, que se encontra no inconsciente em forma de mágoas e reservas, desconfianças e insatisfações em relação ao *herói* de volta.

Desse modo, liberar o *irmão mais velho* do ressentimento e da insegurança que lhe são habituais em relação aos propósitos do outro *filho de seu pai,* que somente agora descobriu a ventura e está trabalhando para anular o passado – sublimar as lembranças do inconsciente – transferindo-o para a consciência e avançando na direção do superconsciente, onde foram depositados os *talentos* que se estão multiplicando.

Fé e religião

O ser humano é, na sua essência, um *animal religioso*. A sua busca de religiosidade leva-o a vincular-se às diferentes correntes doutrinárias, procurando segurança e harmonia na trajetória física. As suas experiências de fé religiosa concedem-lhe vigor e dão-lhe coragem nas situações difíceis e ante os desafios.

Pode-se afirmar que nesse indivíduo a fé é quase de natureza genética. Há uma crença universal em Deus, não importando o nome que se Lhe dê, a forma como se O compreenda. Atavicamente, o arquétipo divino que nele se expresse através do *Self* é um fenômeno natural. A crença religiosa, no entanto, é resultado de fatores educacionais, mesológicos, familiares. Dessa forma, têm-se a crença natural e a religião que foi aprendida.

Na infância, no período lúdico, as fantasias em geral também se alargam em torno da religião, dando-lhe colorido especial ou criando terror de acordo com o conteúdo de cada uma delas. À medida que a razão e o discernimento substituem a ignorância e a ingenuidade, os conflitos que surgem também entram em confronto com a conduta religiosa, especialmente se é castradora, imposta, ou se tem o caráter policialesco de vigiar todos os passos com ameaças de punição.

A racionalidade que tomou conta dos primeiros pensadores do século XVII, abrindo campo para os enfrentamentos entre as ciências nascentes e as doutrinas religiosas dominantes, atingiu o seu apogeu no fim do XIX e, particularmente na primeira metade do XX, quando, aparentemente, o ser humano afirmou estar distante de Deus, presumivelmente apoiando-se no arrogante conceito de Nietzsche, a respeito da Sua morte ou dos muitos outros filósofos niilistas e materialistas, ou mesmo de eminentes cientistas. Apesar disso, quanto mais se realizavam avanços nas ciências e a tecnologia de ponta mais ampliava os horizontes da compreensão do mundo, curiosamente surgiu um paradoxo, facultando que inúmeros cientistas come-

Em busca da verdade

çassem a voltar a Deus e à crença no Espírito, como únicas maneiras de entenderem o Cosmo e a vida em si mesma.

Após a proposta darwiniana a respeito da evolução vegetal, animal e o surgimento do homem, mediante a seleção natural, facultando a negação dos conceitos criacionistas bíblicos, que reinaram soberanos por vários séculos, com o advento das moderníssimas conquistas a respeito da decodificação do genoma humano, uma ponte foi lançada entre uma teoria e outra, demonstrando que se encontram verdades em ambas e facultando entendimento de como *Deus criou a vida.*

Já não é blasfêmia um cientista confessar a sua crença em Deus, assim como na sobrevivência do Espírito à disjunção molecular do corpo.

As incontáveis investigações em torno da paranormalidade humana, realizadas nos séculos XIX e XX, por excelentes cientistas das diversas áreas do conhecimento, têm oferecido material exuberante e incontestável para confirmar que a morte não destrói a vida e que o Espírito não sucumbe, quando desaparece o seu envoltório material.

A mediunidade, após vencer os preconceitos e as superstições que a mistificavam, tornou-se objeto de estudos sérios e consagrados por homens e mulheres dos mais diversos segmentos da cultura e da civilização, que se renderam à sua legitimidade como instrumento probante da imortalidade do Espírito.

Ciências que se derivaram da Psicologia, como área experimental, no caso, a Parapsicologia, mais tarde, a Psicotrônica, a Psicobiofísica, ofereceram campo vasto para os estudos sérios em torno dessas questões, ensejando evidências e fatos que não podem ser contestados e merecem todo o respeito, em face daqueles investigadores sérios que se deram ao trabalho de pesquisar, de experimentar, de comparar...

A ruptura com as colocações extremistas de alguns cientistas em relação à religião e aos fenômenos dela defluentes já não mais existe com a mesma firmeza de antes. Neurocientistas e astrofísicos, matemáticos e biólogos, psicólogos e psiquiatras, assim como outros profissionais dos diferentes ramos do conhecimento científico têm defrontado a realidade transpessoal e adotado comportamento compatível com a filosofia imortalista, como a mais avançada conclusão das suas experiências nos campos de trabalho nos quais operam.

Chegou o momento em que as questões metafísicas podem ser discutidas nos laboratórios sem nenhum pejo para os estudiosos, em tentativas de grande validade para descobrirem o que se encontra escondido além das chamadas leis naturais, pelo menos aquelas que já estão detectadas.

Nesse sentido, Jung foi um dos primeiros acadêmicos a não valorizar em demasia o aspecto racionalista absoluto em torno do Universo, abrindo caminhos dantes não percorridos, para melhor entender-se a criatura humana em sua profundidade e a realidade na qual todos se encontram.

O ser humano não pode fugir do seu *arquétipo psicoide*, em razão do inconsciente coletivo, onde permanecem todos os constructos da sua existência, naturalmente, também, as exuberantes expressões da fé, no seu sentido mais

Em busca da verdade

amplo, da religião e de Deus... Esse extraordinário inconsciente encontra-se fora do conhecido mundo consciente, sendo constituído por um *campo primordial de espaço-tempo.*

A Psicologia, desse modo, tem por meta entender os fenômenos pertinentes à psique e às suas manifestações, não estando vinculada a qualquer compromisso com os comportamentos religiosos, sem que, no entanto, deles deva abdicar, especialmente quando estudando os diversos distúrbios que aturdem os seus pacientes, as suas alucinações e delírios também de natureza espiritual...

A fé religiosa, quando saudável, estruturada na filosofia da razão, que pode enfrentar a dúvida em todas as épocas do pensamento, contribui de forma significativa para a saúde mental e emocional do indivíduo, dando-lhe sustentação nos momentos de debilidade e coragem nos instantes de desafio.

A fé apresenta-se natural, sem subterfúgio, em tudo que se acredita sem haver sido investigado, e ninguém vive sem essa experiência psicológica que se expressa como fidúcia, aceitação automática... Também resulta das lutas entre a razão e o sentimento, o fato e outras explicações, passando pelo crivo da lógica, da observação, tornando-se racional, robusta.

Graças à fé natural, desenvolvem-se as aptidões humanas, e os projetos desenhados para a existência transformam-se em realidade, porquanto os estímulos e a fortaleza, que dela se derivam, proporcionam os meios para o prosseguimento nos tentames até quando concluídos.

A fé é portadora de força tão excepcional, que muitas vezes o indivíduo que tem um objetivo luta contra tudo que se lhe opõe, vence os impedimentos com a certeza de que é viável o que deseja e que conseguirá.

É a fé que tem sustentado os investigadores de todos os matizes, os cientistas que trabalham com hipóteses contrárias ao aceito e permitido, conseguindo demonstrar a sua validade após esforços hercúleos, assim confirmando que têm razão.

Ninguém pode atingir qualquer meta se não acredita na sua viabilidade, nessa possibilidade, mesmo que não a identifique conscientemente. A perseverança numa ação e a constância em um trabalho são frutos da fé em torno deles.

A fé religiosa, no entanto, sustenta-se na probabilidade de que sejam reais os postulados transpessoais, espirituais, nos quais se acredita. Felizmente, graças à mediunidade, a fé religiosa dispõe hoje de um arsenal de fatos que superam e eliminam todas as negações. Curiosamente, afirmava-se, durante a vitória da filosofia existencialista, que era necessário *ver para crer*, hoje totalmente ultrapassado o conceito em face das propostas da Física Quântica, que estabelecem a necessidade de antes *crer para depois ver*, mesmo porque nem tudo aquilo em que se crê nessa área somente se encontra dentro de probabilidades, e jamais será visto...

A fé produz heróis e santos, mártires e pessoas de bem.

Durante o holocausto judeu, suas vítimas que mantiveram a fé de que sobreviveriam, de uma ou de outra forma conseguiram o objetivo. Aquelas que se afirmavam necessárias à vida a fim de denunciarem toda a crueldade,

Em busca da verdade

experimentaram todos os horrores e ficaram lúcidas para narrar ao mundo o poder da loucura, do extremismo, da *solução final*, meta dos infelizes psicopatas que tomaram o poder na Alemanha...

Quando se crê, todo o organismo atende aos impulsos da psique e responde de maneira eficaz, produzindo recursos propiciatórios à sua realização.

Mais facilmente entra em tormento emocional, o indivíduo em conflito pela dúvida, atormentado pela insegurança, desconfiado de tudo e de todos. Mediante a fé em Deus, sem exaltação e com harmonia, a saúde emocional é mais duradoura, e, quando, por alguma razão, experimenta transtorno, mais rapidamente retorna.

Em muitas ocasiões, a fé demonstrada por cientistas e navegadores, como Cristóvão Colombo, que acreditava na existência de terras, caso viajasse na direção do oeste, saindo da Europa, conseguiu prová-lo, porque no inconsciente armazenavam-se os registros representativos de já haver estado naqueles lugares em existência anterior...

Quantas vezes, o pai da Psicologia Analítica em suas viagens de trem, partindo de Zurique (Suíça) com destino à Itália, antes de chegar às cidades a serem visitadas, *via-as, conhecia-as*, constatando a veracidade posteriormente, embora nunca ali estivesse estado, pelo menos na existência atual. Surpreendido por esses eventos, assim como pelo sonho-visão que tivera, a respeito da grande onda que destruiria praticamente a Europa, se tornou real por ocasião da lamentável Grande Guerra que sacudiu todo o planeta, nunca se escusou a narrar tais ocorrências...

Esses fenômenos que transcendem a realidade psicológica estão vinculados ao ser paranormal, espiritual e imortal, estando, desse modo, além das suas perspectivas, embora as possa penetrar.

Mme. Curie, por sua vez, realizando as suas extraordinárias experiências com toneladas de pechblenda, tinha certeza, mantinha a fé segura de que encontraria expressão mais rarefeita da matéria, e insistindo, embora contra todas as opiniões, com o esposo conseguiu detectar a radioatividade. Posteriormente, continuando nas pesquisas exaustivas com diversos tipos de pechblenda conseguiu detectar o polônio e o rádio... Mesmo na viuvez, manteve a fé natural e racional em torno das imensas possibilidades que se lhe encontravam ao alcance, e superou-se, conquistando o respeito internacional e o Prêmio Nobel de Química, tornando-se a única pessoa a receber duas vezes o referido Prêmio em áreas diferentes...

A fé sempre a sustentou, mesmo no período de dissabores e conflitos emocionais vividos após a desencarnação do marido...

Jesus afirmou com segurança e beleza: *Se tiverdes fé do tamanho de um grão de mostarda, direis a este monte: Passa daqui para acolá, e ele há de passar; e nada vos será impossível.* (Mateus, 17-20.)

Certamente, não se referia à montanha em si mesma, porém, aos graves problemas que se amontoam em torno da existência, criando dificuldades e produzindo embaraços. A fé, mesmo pequenina, pois que o grão de mostarda é uma das sementes menores que existem, con-

Em busca da verdade

segue o resultado que se almeja, em razão das forças que faculta e da inspiração que propicia.

A fé, em qualquer forma que se apresente, é estímulo de alto significado para uma existência feliz e saudável, portanto, para a contribuição eficaz para a individuação.

PENSAMENTO E AÇÃO

Examinado sob o ponto de vista filosófico, *o pensamento é uma atividade psíquica* que responde pela ocorrência dos *fenômenos cognitivos*, independendo da *vontade e dos sentimentos*.

René Descartes afirmou: *Eu sou uma coisa que pensa,* dando ao pensamento um significado específico, afirmando que a *essência do homem é pensar.*

Através do pensamento cada ser humano eleva o seu estágio de evolução, caracterizando-se pela nobreza das ideias que formula ou pela vulgaridade em que se compraz.

O processo de evolução do pensamento fez-se lentamente através das multifárias experiências reencarnacionistas, desde quando surgiram as primeiras expressões arcaicas, passando pelas de natureza primitiva, mítica, egocêntrica, até alcançar o estágio racional, avançando no rumo da sublime conquista cósmica.[5]

Desenvolvendo a capacidade de pensar, ultrapassando as barreiras dos instintos que limitam, o Espírito vem ampliando a percepção do psiquismo divino que nele exis-

---

[5] Vide o livro *Autodescobrimento*, de nossa autoria, capítulo 2 – Equipamentos existenciais, editado pela LEAL (nota da autora espiritual).

te, adquirindo essa peculiar capacidade, base para todas as realizações existenciais.

Essa faculdade inata que se desdobra mediante as experiências contínuas é portadora de um poder para a ação, que a torna elemento vital no desenvolvimento do Espírito na sua incessante busca de felicidade.

À medida que o ser humano encontrou desafios e dificuldades na vilegiatura orgânica, nos primórdios da evolução, foi desenvolvendo a caixa craniana e aumentando o volume do cérebro, graças ao surgimento dos neurônios necessários às sinapses mais elevadas e às expressões que iriam caracterizar o pensamento. Surgindo por ampliação do instinto, considerando-se que esse é uma forma primária de pensamento, as necessidades ambientais e a luta pela sobrevivência estimularam o Espírito a liberar as funções que se encontravam em latência, dando lugar ao surgimento das ideias, ao desenvolvimento das faculdades psíquicas. Fatores, portanto, mesológicos e filogenéticos responsabilizaram-se, ao longo dos milhões de anos, em construir os equipamentos ultradelicados para decodificar o pensamento, que é de natureza transcendente e não de natureza eletroquímica do próprio cérebro, conforme asseveram alguns respeitáveis estudiosos.

Emanação do Espírito, é o instrumento hábil para o estabelecimento da razão, do discernimento, da consciência que se desenvolve através de níveis específicos até fundir-se na identificação cósmica, conforme sucede com o próprio pensamento.

Em cada etapa, o Espírito exercita em especial determinada faculdade, ora intelectiva, ora emocional, abrindo

Em busca da verdade

espaço para as aptidões culturais, artísticas, religiosas, sociais, políticas, que irão construir a sua plenitude.

O pensamento, portanto, em face das conquistas adquiridas pelas experiências, agiganta-se e transforma-se em força criadora, que a consciência de si orienta sob as diretrizes ético-morais, indispensáveis à canalização das ideias e aspirações compatíveis com o estágio do desenvolvimento de valores elevados.

Foi, graças a esse esforço e direcionamento, que surgiram os conceitos filosóficos, as inabordáveis conquistas científicas, as maravilhas da arte em todas as suas expressões, as sublimes realizações espirituais e religiosas, o estabelecimento dos códigos dos direitos e dos deveres do ser humano em relação a si mesmo, ao próximo, à Natureza, à vida...

Esse incessante processo de crescimento experimentou, também, vários embates, quando as opções do pensamento se mantiveram nas heranças do primarismo, principalmente na agressividade e na violência, na *pulsão* do poder e do prazer, nos caprichos infantis malsuportados, dando lugar ao crime, à destruição, ao despautério, à crueldade não diluída no imo.

Na atualidade, quando se alcançou o máximo do progresso científico e tecnológico até então jamais logrado, lamentavelmente permanecem ainda as expressões grosseiras e perversas do pensamento primitivo, que não evoluiu no direcionamento ético e moral, gerador dos sentimentos de paz e de compaixão, de bondade e de compreensão da finalidade existencial na Terra.

Tudo, no ser humano, tem origem no pensamento, que logo se transforma em ideia, desenhando as possibilidades de realização, a fim de converter-se em ação. Como efeito, assevera-se com severidade que o fato de pensar-se em determinada ideia, que se fixa, já se está cometendo o ato. Em o Evangelho de Jesus, por exemplo, essa força de expressão está definida no capítulo 5 de Mateus, versículo 28, quando enuncia: *Eu, porém, vos digo que todo aquele que olhar para uma mulher para a cobiçar, já em seu coração cometeu adultério com ela.*

Certamente, quando se olha algo ou alguém, logo surge a formulação da ideia, do desejo, da necessidade, e, no caso em tópico, o pensamento desregrado, indisciplinado, acostumado ao imediatismo da libido, logo passa a experienciar a ação, desde o instante de emissão da onda mental.

No mesmo contexto, o oposto também é verdade, quando se fixa a atenção, e consequentemente o desejo mental em algo enobrecedor, já se inicia a vivência do anelado.

Essa força do pensamento também responde pela conduta emocional, pelas heranças positivas ou negativas do indivíduo, cabendo-lhe direcionar os seus anseios para as questões superiores da existência, as que dignificam e promovem o sentimento e a própria vida.

É nessa estrutura que o *Self* adquire resistência para compreender e aceitar a *sombra*, conviver com o *ego* sem luta nem conflito.

Quando vitimado por transtornos psicológicos, o indivíduo apresenta-se incapaz de fixar o pensamento na

Em busca da verdade

esperança e na expectativa de recuperação, normalmente, porque sempre cultivou as ideias negativas, pessimistas e perturbadoras, às quais se acostumou, que justifica, informando não ter forças para corrigir o velho hábito e passar a contribuir em favor da psicoterapia libertadora.

Em se esforçando, no entanto, e desejando a conquista da saúde física, emocional ou de algum transtorno mais profundo, desde que não estando afetado na função do pensamento, poderá fixar a mente nas perspectivas saudáveis do refazimento, auxiliando os neuropeptídeos na produção das substâncias especiais para o reequilíbrio.

Nesse campo, inscrevem-se as terapias placebo de excelente resultado em muitos processos psicoterapêuticos, mesmo objetivando enfermidades orgânicas. Por outro lado, as experiências-nocebo também resultam em agravamento dos quadros enfermiços, levando os pacientes a situações lamentáveis. Ambas as ocorrências, portanto, em face da força do pensamento, que se fixa numa como noutra, de onde se originam os resultados positivos ou prejudiciais ao organismo físico, emocional e psíquico.

Por motivos óbvios, somente o ser humano pensa, é capaz de compreender abstrações, de conceber e antever o que lhe ocorre nos painéis da mente, e que pode materializar posteriormente através do empenho e da dedicação na construção das ideias.

Mediante o pensamento bem-ordenado, todo o constructo do ser humano avança pelas vias formosas da saúde e da edificação interior, alcançando o elevado patamar da individuação.

10
A VIDA E A MORTE

A VIDA HARMÔNICA • EQUIPAMENTOS PSICOLÓGICOS
PARA O SER • A FATALIDADE DA MORTE

A organização fisiológica de um ser humano é uma das mais grandiosas peças da engenharia genética jamais antes ou depois elaborada...

Constituída por um sistema circulatório que varia entre 150.000 a 190.000 quilômetros de artérias, veias e vasos em um circuito excelente e único, pelo qual viaja o sangue que nutre todas as células, num total de cem trilhões, renovando-se continuamente, com exceção dos neurônios cerebrais, segundo alguns neurocientistas, enquanto outros informam que algumas *ilhas* se repetem quando os mesmos morrem, para que a vida possa pulsar no grandioso mecanismo.

Todo esse equipamento depende do oxigênio que lhe é vital e que transforma o sangue venoso em arterial, eliminando as perigosas toxinas que produz pelo aparelho excretor, mantendo um equilíbrio invejável.

A *bomba* cardíaca, que lhe é fundamental, começa a pulsar a partir do vigésimo dia da fecundação, quando automaticamente é disparado um *choque elétrico*, e não cessa de realizar a função incomum da sístole e da diástole, de modo que o sangue chegue ao cérebro, e dele, aos pés, atravessando esse extraordinário sistema circulatório, que é autopreservador. Se, por acaso, uma picada de alfinete lhe destrói milhares de capilares, logo outros lhes tomam o lugar, em um mecanismo insuperável de ordem e de ação, e, quando há um corte maior, de imediato, é atirada sobre o mesmo uma delicada *camada de fibrina*, para realizar o tampão que lhe impede a morte pela hemorragia, que seria contínua, com exceção nos hemofílicos, cujo processo é mais delicado e mais complexo...

Os sistemas nervosos de sustentação e equilíbrio são de uma complexidade incomum, emitindo vibrações e mensagens que se responsabilizam pela harmonia de toda a maquinaria, na execução da sua programática.

As glândulas endócrinas, especializadas, funcionam dentro de um ritmo que transcende a capacidade total do entendimento humano, contribuindo com os hormônios responsáveis pela estabilidade de todos os equipamentos físicos, emocionais e psíquicos...

Essa aparelhagem sem similar é ativada por sistemas especiais emissores de energias que procedem da mente, circulando em todo o organismo, mente que, por sua vez, é instrumento de manifestação do Espírito, quer consciente ou não da sua existência e significado.

Resistente a diferentes altitudes e golpes de vária ordem, é, no entanto, frágil, pois que pode ser vitimada por bactérias e vírus que mantém sob controle, quando o sistema imunológico, por alguma razão deixa de funcionar como seria desejável...

Em busca da verdade

É que todo o comando se encontra no Espírito que a vitaliza e conduz, contribuindo para o seu êxito ou sua desorganização, embora nem sempre esteja consciente da alta magnitude do investimento de que se encontra possuído, a fim de alcançar as estrelas, saindo, por definitivo, da treva da ignorância para a glória da imortalidade...

Essa máquina extraordinária que a nenhuma outra se compara foi, no entanto, trabalhada pelas Divinas Leis ao longo de dois bilhões de anos, aproximadamente, desde a formação das primeiras moléculas de açúcar, na intimidade das águas oceânicas abissais, chegando à atualidade com equipamentos elétricos e eletrônicos dos mais sofisticados, de forma que através dela o Espírito pode desenvolver o seu *deus interno*, cantando as glórias de Deus...

Nesses incomparáveis equipamentos encontram-se os mecanismos que expressam a inteligência, o sentimento, as tendências de toda natureza, graças ao perispírito que os modela, obedecendo às exigências da *Lei de Causa e Efeito*, no desempenho da tarefa para a qual foi elaborado pela Divindade, na sua condição de envoltório sutil da alma ou Espírito.

A bênção, portanto, de um corpo, para o crescimento espiritual, por mais limitado e destroçado que seja, é de não apreciado valor, porquanto reflete as necessidades do seu agente espiritual, sempre responsável pela maneira como se condensa no mundo das formas.

Respeitá-lo com imenso carinho, oferecendo-lhe os contributos próprios para que sejam alcançadas as finalidades às quais se destina, é o dever inteligente do viandante na romagem terrena.

Resguardá-lo das agressões internas, que procedem dos atavismos ínsitos nele próprio, defluentes da sua conduta passada, é consciência de dever para com o invólucro material de que necessita para crescer e reparar, conquistar o infinito e avançar na busca da individuação.

Quando o *Self* se encontra consciente dos seus atributos, melhor trabalha para a harmonia que lhe é necessária, a fim de desempenhar as funções de mortalidade e de imortalidade que lhe dizem respeito, superando os impositivos da *sombra*, que evoca os caminhos dúbios que foram transitados e necessitam da contribuição do entendimento para que haja plena harmonia.

Desse modo, o corpo deve ser considerado um santuário sublime que a vida concede ao Espírito, a fim de que permita o desabrochar dos valores adormecidos, qual ocorre com o solo generoso que acolhe a semente, a fim de que alcance a meta que jaz no seu imo.

De maneira idêntica, é necessário atender essa *semente inteligente*, resguardando-a das *pragas* e perigos mesológicos que podem atentar contra a sua sobrevivência e desenvolvimento vital.

Assim considerando, os maiores perigos jazem internamente, são as imperfeições morais remanescentes do primarismo, que teimam em manter encarcerado o ser real, fazendo-o repetir as façanhas infelizes que o tornaram desditoso.

O esforço pelo autoconhecimento, pela autoidentificação no tocante às possibilidades que lhe dizem respeito, é compromisso inadiável para todas as criaturas que despertam em consciência lúcida para atingir a meta da existência, que é o estado *sukha*.

Em busca da verdade

Normalmente, em mecanismos de transferência ou de fuga da responsabilidade, pensam alguns indivíduos que os seus inimigos encontram-se fora, programando ataques, estabelecendo estratégias de agressão e de destruição, sem dar-se conta de que esses jamais alcançam o seu objetivo se encontram a lucidez daquele de quem não gostam e a preservação dos seus valores morais em clima de harmonia.

Desse modo, os adversários de fora, muito decantados, mal algum podem fazer, quando se está consciente de si mesmo e disposto a galgar níveis mais elevados na escala da evolução que não cessa.

Por isso mesmo, qualquer ocorrência perniciosa que afete esse gigantesco instrumento da evolução, representa um dano de consequências graves, impondo refazimento através do renascimento corporal, em equipamento desorganizado pela sandice que o indivíduo se permitiu.

A visão religiosa castradora do passado via no corpo um adversário em face dos seus impulsos e necessidades, passando a *puni-lo* de maneira covarde e a aplicar-lhe cilícios, a fim de diminuir-lhe a vontade, em falsas tentativas de libertá-lo das *tentações*, preferindo a ignorância que lhe vedava o entendimento para compreender que os desejos infrenes, os apelos carnais são reflexos do estágio do Espírito que se reflete na matéria e não ao contrário.

O amor, portanto, para com o doce e calmo *jumentinho*, conforme o denominava o santo de Assis, em reconhecê-lo como o animal em que montava, é a proposta mais bela e rica de contribuições para a sua preservação e harmonia.

A VIDA HARMÔNICA

Genericamente, alguns biólogos definem a vida como o *fenômeno que anima a matéria*.

A referência à vida humana, que abrange o período da fecundação até o da desencarnação, mediante o qual o Espírito toma a matéria e a abandona, é caracterizado pela presença da *energia pensante*.

A vida encontra-se estuante em toda parte, seja no campo da estrutura molecular, como naquele que se expressa em outra dimensão – a de natureza espiritual.

A vida humana, entretanto, é a transitória existência corporal, através da qual se processam os mecanismos da evolução física, psíquica, emocional e espiritual, seguindo a fatalidade da perfeição relativa que a todos se encontra destinada.

A morte, no ser humano, por sua vez, é a cessação dos fenômenos orgânicos, a degeneração do tronco encefálico, abrindo espaço à desencarnação, que constitui a liberação total do Espírito em relação à estrutura material. Por isso, nem sempre morrer é desencarnar, considerando-se que constitui um expressivo número, o daqueles que se mantêm apegados aos despojos materiais, após a ocorrência da morte, na vã expectativa de trazê-los de volta à vitalidade.

Vivenciando uma existência sensualista, assinalada pelo egoísmo e pelas suas expressões mais vis, o acontecimento que produz a morte orgânica de forma alguma libera *o princípio inteligente* da vestidura que lhe facultou o gozo e as sensações exorbitantes. Fixado nos equipamentos de que se utilizou, o fenômeno *mortis* não proporciona de imediato a identificação da mudança de plano vibratório

Em busca da verdade

em que se encontra, em razão da continuidade das percepções orgânicas, apresentando-se como impressões vigorosas que transmitem a ideia de que nada se modificou. Lentamente, porém, à medida que ocorre a transformação e a desintegração dos despojos, o ser real é assaltado pelo pavor e aturde-se na ignorância em que se manteve de referência à realidade além do campo sensorial. Essa perturbação prolonga-se por tempo indeterminado, variando de um para outro indivíduo, conforme o nível de consciência que lhe é próprio. O *Self* em reestruturação após o desenlace dos complexos equipamentos celulares, das combinações químicas eletroeletrônicas do cérebro, prossegue dominado pelo imperativo do *ego,* que o manteve encarcerado na *sombra* das paixões servis, dando-lhe a falsa ideia de que tudo prossegue em regime de similitude, embora o sucesso que teve lugar...

De outra maneira, quando se viveu dentro dos padrões éticos estabelecidos, mantendo-se respeito pela existência, utilizando-se da roupagem carnal de maneira sóbria, edificante e construtiva, experiencia-se, desde cedo, um natural desapego pela mesma, como consequência da visão espiritualista que se possui da vida. Tendo-se em mente que tudo é transitório no mundo físico, e que o corpo é somente um instrumento para a evolução, ama-se a organização material, consciente, porém, da sua relatividade, da sua destrutibilidade pela morte.

Os fenômenos biológicos são recursos preciosos para que o Espírito adquira a consciência de *Si-mesmo,* ampliando a sua capacidade de entendimento intelecto-moral das coisas e da realidade em que se encontra. Tendo como objetivos imediatos a saúde e o bem-estar, opera em todas as circunstâncias de maneira a evitar comprometimento desequilibrador, dando-se conta de que a sua felicidade está vinculada aos fatores ambientais e humanos, que também devem participar do mesmo empreendimento ditoso.

Para que o tentame seja alcançado, o *Self* identifica os alvos estabelecidos, empenhando-se no esforço pela harmonização dos arquétipos perturbadores e desenvolvimento das faculdades que se lhe encontram em germe, em estado de adormecimento. Trata-se do empenho pelo autodescobrimento, pela autoiluminação, pela superação das heranças ancestrais geradoras de inquietação e sofrimento.

Como o sofrimento se encontra presente em todas as fases do desenvolvimento do ser, por tratar-se de um fenômeno natural, ora por desgaste biológico, ora por ocasionar o *sofrimento do sofrimento*, vezes outras por *impermanência*, impõe-se a atitude estoica de aceitá-lo jovialmente como processo de percurso inevitável, do qual resultam inúmeras conquistas, quais o amadurecimento psicológico, a visão da solidariedade em relação aos seres sencientes – vegetais, animais e humanos – em cujo grupo se encontra.

A consciência dessa transitoriedade da matéria proporciona ao *Self* a eleição dos cometimentos edificantes, aqueles que não geram culpa nem arrependimento, proporcionando a vida harmônica em ideal identificação com tudo e com todos.

Trata-se, sem dúvida, de um grande esforço a ser desenvolvido. No entanto, a pérola que reflete a luz das estrelas é arrancada dos abismos em que se desenvolve, no molusco que a retém como mecanismo de autodefesa, ou

Em busca da verdade

como a estátua de rara beleza que estava oculta na pedra grosseira ou no metal sujo e informe...

A existência humana é um desafio gigantesco no processo ontológico da evolução. Por mais se queira, ninguém é capaz de evitar os impositivos em que se expressa. Por isso mesmo, o pensamento ético estabeleceu diretrizes de segurança para que sejam logrados os objetivos da saúde e da tranquilidade, do bem-estar e da alegria de viver.

Aprofundando a sonda na complexidade do ser humano, a Psicologia Analítica oferece valiosos recursos para a autoidentificação, para a descoberta dos limites e das possibilidades inimaginadas, para a construção da plenitude, libertando o paciente de todo grilhão retentivo na ignorância, na enfermidade, nos transtornos de comportamento...

Quando o indivíduo puder olhar-se com serenidade, sem culpa nascida no passado, sem saudades dele ou ansiedades pelo futuro, na expectativa do *vir a ser*, nada obstante os conflitos que lhe permaneçam, terá conseguido avançar decisivamente no rumo da autorrealização, portanto, de uma vida harmônica. Essa conquista não impede a luta contínua, porque a evolução não tem limite, e quanto mais se adquire conhecimento, mais se ampliam os horizontes do saber e as indagações em torno do existir, do Cosmo, da vida em si mesma.

Para o êxito desse cometimento, a autoterapia do amor e do sentimento de dever contribui para o prosseguimento do esforço de crescimento interior, de realização enobrecida, de harmonia, desaguando no estado numinoso.

O ser numinoso *exala* equilíbrio, segurança, autoconquista. Transforma-se em um polo de atração que beneficia todos aqueles que se lhe acercam, porque a sua exteriorização é benéfica e enriquecedora.

De igual maneira, o indivíduo voluptuoso, vulgar, insensato, mesmo que se apresentando bem-vestido e com a *persona* bem-trabalhada, cuidadosamente maquilada para a vida social, exterioriza o bafio pestilencial do seu estado interior. Basta uma aproximação, um contato, para que se sinta o perigo do contágio da sua condição moral e espiritual. Logo ocorre uma falta de empatia entre aquele que é saudável e o enfermo, produzindo fenômenos psicológicos de antipatia e distanciamento.

Cada qual é aquilo que cultiva interiormente, suas aspirações e pensamentos, seus cuidados ou desastres emocionais, não podendo ocultá-los de tal forma que psiquicamente eles não se manifestem.

Nesse capítulo, pode-se inferir que as existências pregressas impuseram o seu selo representativo da conduta que cada qual se permitiu.

É comum ouvir-se dizer que os discípulos de determinados mestres iogues asserenam-se junto deles, sem necessidade de qualquer verbalização... O mesmo ocorre com muitos pacientes quando chegam os seus médicos, enfermeiros ou assistentes, sendo generalizada a ocorrência em relação às pessoas portadoras de sentimentos elevados, que produzem alegria e geram harmonia a sua volta.

De igual maneira, aqueles que são de temperamentos rebeldes, instáveis, comportamentos doentios, sentimentos avaros e mesquinhos, turbulentos e perversos, fazem-se identificar facilmente, mesmo que o não queiram, sem qualquer manifestação exterior.

O ser psíquico-moral é o verdadeiro indivíduo.

Em busca da verdade

A nobre tarefa da psicoterapia é trabalhar esse *Self* que centraliza todas as atenções e cuidados, nele descobrindo os registros das aflições defluentes das experiências malogradas, dos comprometimentos desastrosos, do que poderia haver realizado de meritório e ficou na expectativa...

Onde se encontre o enfermo psicológico ou físico, ou mental, aí está a totalidade dos seus atos em reencarnações anteriores, agora refletidos na conduta angustiosa ou aflitiva que o aturde.

Imprescindível trabalhar-lhe o inconsciente coletivo, buscando os arquétipos portadores de desintegração e sofrimento que nele ressumam com frequência.

Os primeiros passos para a conquista da vida harmoniosa, são aqueles que liberam o despertar da consciência de si, ao lado da responsabilidade assumida em favor das mudanças que se fazem necessárias na ementa existencial.

Desmascarar a ignorância e diluir a *sombra* onde quer que se refugiem, constituem o segundo passo de lucidez para alcançar-se o objetivo anelado.

Assumindo facetas desculpistas, ensejando processos de transferência de responsabilidade, o *ego* engenhoso e insubordinado procura sempre manter-se no comando, disfarçando a aparência e mantendo os conteúdos doentios.

Outras terapias, denominadas alternativas, também são muito úteis para a conquista dessa vida harmônica sempre buscada.

Desde os procedimentos de cromoterapia, como os de massoterapia, os de meditação e *yoga* para atingir o *mocsa*, os de fluidoterapia, especialmente através dos passes, e outros tantos valiosos recursos à disposição dos interessados, o importante é alcançar a individuação, a *sukha*...

Muitos outros indivíduos, entretanto, preferem ficar vitimados pela *síndrome do mundo cruel*, conforme a denominam os sociólogos, em face da alta carga de informações negativas, de desastres e infortúnios de que são vítimas, informando a impossibilidade de as superar ou pelo menos digeri-las mentalmente.

Sem dúvida, é um disfarce para evitar assumir a responsabilidade pelo que está ocorrendo no mundo, porquanto, ao lado das misérias e vicissitudes, também se encontram os exemplos de dignificação e sacrifício de verdadeiras multidões que permanecem no anonimato ou se tornam conhecidas, sem darem importância ao lado infeccioso da sociedade, que se apresenta em forma de doença pandêmica e constante.

A predominância dos bons e dos portadores de sentimentos elevados proporciona à vida uma paisagem de esperança e de significação, qual um amanhecer de bonança após a violência da tormenta.

A aquisição, portanto, de uma vida harmônica, está na dependência da eleição que cada um faz em torno dos objetivos existenciais, sendo factível anelá-la e trabalhar por conquistá-la.

(...) E o filho pródigo voltou para os braços paternos...

EQUIPAMENTOS PSICOLÓGICOS PARA O SER

Na extraordinária façanha da existência humana, a conquista de sentido e de significado é de relevante magnitude, pois que, do contrário, não se vive, *apenas se vegeta*, conforme conceituação de um brocardo popular.

Em busca da verdade

A constituição do *Self* como energia pensante, na condição de *princípio inteligente do universo*, conforme é definido o Espírito pelos Benfeitores da Humanidade, impõe por princípio e legitimidade todo um arsenal de equipamentos psicológicos para o desempenho da tarefa que deve executar – a autoiluminação.

Procedente do Psiquismo Divino, possui, em germe, todas as potencialidades provenientes da sua causalidade, sendo-lhe necessário o despertar destas e o desenvolvê-las ao longo das experiências sucessivas.

Em decorrência, o ser psicológico que é, impõe-se como de fundamental relevância em todo o processo evolutivo, sendo-lhe necessários recursos psíquicos propiciatórios para o alcance dos seus objetivos.

Sediando as aspirações no superconsciente e conservando as realizações no inconsciente coletivo, o seu *envoltório* perispiritual é o reservatório onde se encontram todos os valores amealhados, dignificantes ou inquietadores, e que ressumam com frequência, de acordo com as emoções, as ocorrências que fazem parte do processo de evolução, auxiliando-o na ascensão ou induzindo-o ao sofrimento.

Como consequência, as suas são necessidades de ordem ética, estética, transpessoal, como recursos de manutenção do equilíbrio e de impulsos para o avanço pela senda libertadora dos atavismos negativos que interferem no comportamento que opta pelo bem-estar.

A alegria de viver, por exemplo, é um dos mais valiosos equipamentos psicológicos para o êxito do empreendimento humano, porquanto, através desse sentimento, todas as experiências adquirem significação, selecionando aquelas que promovem, com a superação tranquila em referência às portadoras de angústia e de aflição.

Para que haja alegria de viver, no entanto, impõem-se condições emocionais específicas, tais sejam: os procedimentos mentais saudáveis, nos quais o pensamento e a imaginação ativa exercitam-se trabalhando as aspirações da ordem e do dever, da ação nobre e da solidariedade, do progresso e da abnegação, mantendo o clima superior propiciatório ao entusiasmo, sem as defecções ocasionadas pelos conflitos; a reflexão antes de qualquer atitude, a fim de evitar a culpa que transtorna, elegendo as condutas que proporcionam júbilo interior; as atividades representativas da caridade, da compaixão; a autoanálise frequente, de modo a identificar os erros e reabilitar-se deles, os acertos e seus prosseguimentos...

Isto, porque, segundo a opinião do eminente Jung: (...) *dentro da alma, desde suas origens primordiais, têm havido um desejo de luz e uma ânsia incontida para debelar as sombras primordiais... a noite psíquica primordial... é hoje a mesma que a de incontáveis milhões de anos passados. O anseio pela luz é o anseio pela consciência.*

A busca dessa consciência profunda transforma-se em meta que conduz à plenitude psicológica, quando o sofrimento não encontra lugar para instalar-se, ou quando ali presente, ser superado. Embora o sofrimento permaneça no mundo e nas criaturas como uma fatalidade do seu processo de evolução, mediante os equipamentos psicológicos da busca da luz, torna-se factível diluí-lo na claridade do amor inefável.

O sonho alquimista era a transmudação dos metais comuns em ouro de alto valor, que não foi conseguido.

Em busca da verdade

Nada obstante, psicologicamente, é possível essa alquimia no ser, ao transformar a *sombra* em luz, e os conflitos com as suas marcas de perturbação no *ouro* da harmonia.

Para tal cometimento, os recursos a serem utilizados são internos e fazem parte da construção da consciência, pois que, somente por seu intermédio, é possível a conquista da sabedoria, ao discernir entre o que é necessário ou inútil na existência, de real ou de aparente valor...

Enquanto isso, a luta interior em relação ao sofrimento prossegue contínua. Ainda conforme o pensamento junguiano, o oriental planeja vencer o sofrimento expulsando-o como se fora uma coisa, enquanto o ocidental pensa que conseguirá libertar-se dele através dos medicamentos. Nenhum medicamento, porém, tem o poder de eliminar os sofrimentos que se derivam da consciência de culpa, dos fenômenos psicológicos da afetividade não correspondida, das ansiedades não concretizadas, do desejo do belo e da paz não conseguidos...

O dinheiro, por exemplo, pode oferecer uma farta alimentação, jamais provocar o apetite; pode conseguir o conforto, nunca, porém, a paz de quem habita o lugar agradável; a presença de pessoas, sem que lhe ofereçam o amor... A morte de um ser querido interrompe os sorrisos e o poder do mundo não o pode trazer de volta, embora possa mover praticamente tudo e todos...

Tais ocorrências produzem sofrimentos, sem dúvida, que não podem ser expulsos a golpes de insistência mental nem socorridos com medicamentos de qualquer natureza. Têm de ser enfrentados pacientemente pela psique, através do estado autoconsciente do *Self*.

É natural que o sofrimento e a felicidade manifestem-se lado a lado, em aparente oposição, que os equipamentos psicológicos da compreensão podem fundir num estado de harmonia, quando se compreenda que através do primeiro se pode alcançar a segunda, bastando, para tanto, a compreensão das suas origens e da sua permanência. Diluindo-se as marcas que procedem do inconsciente individual e do coletivo, anula-se a desdita; e despertando a *criança maltratada,* que se encontra latente, consegue-se entender que é possível conciliar um com a outra, desde que transformando o primeiro em caminho que conduz à plenitude.

Não havendo reproche, nem mágoa pelas ocorrências desagradáveis geradoras do sofrimento, não têm vigência os mórbidos resíduos psicológicos, antes surgem perspectivas favoráveis à superação dele, porque outros fatores tomam-lhe o lugar, como sejam: a paz de consciência, o desejo para alcançar as metas programadas, os ideais abraçados.

Quando a mente está voltada para os significativos labores de elevação moral, social, espiritual, artística ou de qualquer outro tipo, as expressões do sofrimento perdem a preponderância na emoção e, naturalmente, deixam de influenciar o comportamento.

Dessa forma, a melhor maneira de superar o sofrimento e conquistar a felicidade é trabalhando-o, aceitando-o, ultrapassando-lhe os limites e as imposições. Em assim comportando-se, o sofrimento se transforma num dínamo gerador de energia que se desenvolve e produz recursos para a conquista da individuação.

Em busca da verdade

Como equipamento psicológico, é justo ainda insistir-se no relacionamento criatura/Criador, pensamento/oração, mente/esperança, que facultam a sintonia com as forças cósmicas de onde procedem todas as coisas materiais, e em forma de energia vitaliza e acalma todos quantos se utilizam desse comportamento.

Vivendo-se no mundo em que tudo é energia sob diferentes aspectos de aglutinação de moléculas, o pensamento também pode e deve engendrar mecanismo propiciatório ao surgimento de forças psíquicas que trabalham pelo bem-estar e superam as construções do sofrimento.

Tudo, portanto, encontra-se dentro da pauta do querer corretamente, a fim de conseguir-se retamente.

Pensando-se com equidade e justiça, agindo-se com bondade e compaixão, vivendo-se com esperança e alegria, a iluminação dá-se natural, ampliando a capacidade no *Self* para gerar o estado numinoso permanente.

A FATALIDADE DA MORTE

O fenômeno biológico da morte faz parte do equivalente em relação ao nascimento: aglutinação de moléculas que se reúnem e se desarticulam quando ocorre a anóxia cerebral.

Pode-se afirmar, no entanto, que *o oposto de morte não é vida, mas renascimento*, como afirmou Buda, porquanto, sempre se está na vida, quer no corpo físico, quer no corpo espiritual.

Sendo o *Self mortal e imortal* na visão transcendente de Jung, ei-lo transferindo-se de vibração, pelo fenômeno da morte, ou mergulhando no corpo através do impositivo da reencarnação.

A morte é, portanto, o término do fenômeno biológico, encerramento de uma etapa orgânica, na qual todos os elementos constitutivos do corpo físico se diluem e se transformam sob a ação poderosa da *química* presente em a Natureza...

Desse modo, o significado psicológico mais valioso da existência corporal é a conquista valiosa da imortalidade, na qual se está mergulhado, mas que se torna lúcida e plena após a desencarnação.

Nesse período, após a ocorrência breve ou longa de obnubilação da consciência, agora sem o envoltório cerebral, o ser, lentamente, de acordo com as suas construções morais e mentais, retorna ao estágio de energia ou *princípio inteligente*, sem as intercorrências do aprisionamento no casulo material.

A jornada humana no corpo deve constituir a meta plena para o reencontro com a vida total. Portanto, todos os investimentos mentais, morais e psicológicos necessitam voltar-se para essa realidade, tendo em vista a impermanência do corpo físico.

Considerando-se a imortalidade como a grande meta, definitiva, cada instante da viagem corporal representa oportunidade valiosa de crescimento iluminativo, investimento psicológico precioso para a conquista da saúde integral, aquela que procede do interior para o exterior.

Esse nascer e morrer na esfera física propicia ao Espírito a conquista da incomparável plenitude, etapa a etapa, conforme responderam os Benfeitores espirituais a uma indagação de Allan Kardec, demonstrando que tudo evolve no Universo: (...) *É assim que tudo serve, que tudo se encadeia na Natureza, desde o átomo primitivo até o arcanjo, que também começou por ser átomo...*[6]

Desde os primórdios do *Self*, quando surge nas formas primárias, o seu despertamento ocorre através do encadeamento das experiências carnais, em sucessivos renascimentos corporais, permitindo que se agigantem a pouco e pouco as potencialidades nele adormecidas, que são inerentes à Divindade da qual procede...

Não fosse dessa forma, a existência corporal, em razão da sua brevidade, não teria o menor sentido de lógica ou de finalidade, quando se considera o tempo adimensional e o infinito, logo dissolvendo-se o pensamento no nada, no aniquilamento. A sobrevivência do ser espiritual é crucial para que a vida física tenha justificativa e sentido psicológico.

Que o digam aqueles que nasceram sob injunções coercitivas dos sofrimentos quase inconcebíveis, sem lhes haver concedido direito à comunicação, ao pensamento, à razão...

Muitos outros, atrelados às necessidades socioeconômicas, dão início às existências nas palhas da miséria e transitam nos meios escabrosos onde vivem sem a mínima claridade do amor, nem da solidariedade, misturando-se o crime com a adversidade...

Incontáveis seres que deliram na loucura sob maus-tratos inumanos, enquanto inúmeros atoleimados perdem-se nos descaminhos do esquecimento humano...

Ocorrências cruéis sucedem com indivíduos portadores de inteligência e de beleza, mas que pertencem a etnias

---

[6] Questão 540 de *O Livro dos Espíritos,* de Allan Kardec. 29.ª edição da FEB (nota da autora espiritual).

e raças consideradas inferiores, sendo obrigados a sorver o amargo fel do preconceito e da perseguição inclementes.

Sucessos e insucessos de toda ordem afetam as criaturas humanas, como se fossem frágeis marionetes ao capricho do absurdo, que se manifesta inesperadamente, a uns elevando ao êxtase da felicidade, e a outros, ao abismo da miséria e do abandono.

Gênios do pensamento e da arte, da ciência e da cultura, repentinamente são vítimas de fenômenos infelizes e, vencidos por acidentes vasculares cerebrais, perdem o contato com o mundo de beleza a que se acostumaram ou que edificaram e não mais o podem fruir.

Igualmente sucedem, a cada instante, a incontáveis pessoas outros tipos de acidentes automotores, choques e quedas, incêndios e desabamentos nos quais os sentidos físicos são danificados, quando não deixam sequelas profundas na psique, que se desconecta da realidade e foge para o olvido de si mesmo ou para os delírios sem sentido das alucinações...

Considerando-se que a presença do sofrimento em todos os segmentos da sociedade é normal, qual seria, então, o sentido da vida, além disso?

Nada obstante, o ser espiritual, vencedor de mil embates, em cada dolorosa vivência aprimora-se mais, adquire mecanismos de defesa, robustece a confiança nos valores ético-morais, experiencia as gloriosas possibilidades que lhe dormem no íntimo.

Herdeiro das próprias realizações, é o artífice da saúde e da doença, da sabedoria e da ignorância, responsável pela *sombra*, pelo *anima-us*, pelo *ego,* que se devem fundir num eixo equilibrado com o *Self,* que os precede e os sobrevive.

Em busca da verdade

O prosseguimento da inteligência e do pensamento, além da esfera carnal, representa o mais extraordinário sentido existencial, pelo abarcar de todas as expressões da emotividade e dos outros demais sentimentos.

Tendo-se em mira esse significado, mais exequível se torna viver, seja em qual situação ou circunstância for, por saber-se que é temporária e breve a jornada carnal, portadora de finalidade educativa, psicoterapêutica, responsável pelo engrandecimento do *Si-mesmo*.

Com esse equipamento, a certeza da imortalidade faculta que todos os fenômenos humanos adquiram lógica e possam ser compreendidos como edificantes, portadores de futuro bem-estar e de harmonia.

Atavicamente, porém, o medo da morte e do aniquilamento permanece como um arquétipo terrível e ameaçador, herança do período da caverna, quando ocorria o fenômeno que não era interpretado pelo homem primitivo, que via o outro ser *decompor-se*, tresandar podridão e não mais voltar ao convívio... Sem a capacidade de discernir, o culto do sepultamento desenhou-se-lhe no *Self*, dando lugar às superstições compatíveis com o nível evolutivo e gerando no inconsciente profundo o horror da ocorrência não compreendida.

Apesar disso, foi na intimidade dessa mesma caverna que as almas aflitas, ou não, daqueles que sucumbiam ao fenômeno da morte, retornavam, apavorando ou aparentando poder, que proporcionaria ao pensamento mítico a concepção dos deuses, iniciando-se lentamente a compreensão da existência *post mortem* e dos gênios bons e maus, dos deuses nobres e viciosos...

A longa jornada atinge, na atualidade, a concepção da Divindade fora dos padrões convencionais em forma de objetivações materiais, apresentando-se como a *Causa Incausada*, a *inteligência suprema e causa primária de todas as coisas...*

A morte, portanto, em vez de temerária, é o veículo que conduz o ser imortal ao seu destino, proporcionando--lhe, quando terminados os renascimentos carnais, a total conquista do *Self*, do *numinoso*, da *individuação*, da felicidade plena e sem jaça.

Por fim, como escreveu Jung estudando e observando idosos na quadra terminal: (...) *a psique inconsciente faz pouquíssimo caso da morte.*

Prosseguindo, ainda, no tema, elucidou: *É necessário, pois, que a morte seja alguma coisa relativamente não essencial... A essência da psique estende-se na obscuridade muito além das nossas categorias intelectuais.*

O encontro com a verdade liberta o ser da ignorância e integra-o totalmente na vida.

Desse modo a busca da verdade não deve cessar, pois a cada instante ei-la que se apresenta grandiosa e deslumbrante.

Onde está, ó morte, a tua vitória? Onde está, ó morte, o teu aguilhão? (Paulo aos Coríntios, 1:15-55.)